ENTENDU !

LISTENING AND ORAL EXERCISES FOR LEAVING CERTIFICATE

STUDENT'S BOOK

SECOND EDITION
Joan Dobbyn & Donal Farrell

GILL & MACMILLAN

Gill & Macmillan
Hume Avenue
Park West
Dublin 12
with associated companies throughout the world
www.gillmacmillan.ie

© Joan Dobbyn and Donal Farrell 2005
978 0 7171 3905 7
Design and print origination in Ireland by
Carrigboy Typesetting Services, Co. Cork

The paper used in this book is made from the wood pulp of managed forests.
For every tree felled, at least one tree is planted, thereby renewing natural resources.

Photo credits
For permission to reproduce photographs, the author and publisher gratefully
acknowledge the following: p. 133 © Imagefile Ireland; p. 135 © Gamma/Katz Pictures.

The author and publisher have made every effort to trace all copyright
holders, but if any has been inadvertently overlooked we would be pleased
to make the necessary arrangements at the first opportunity.

CONTENTS

ON STUDENT'S CD:

c'est une vue de la nature	it is a view of nature
ses traits	his or her features
c'est une vue de profil d'un homme	it is a profile shot of a man
on peut voir le contour de son visage	you can see the outline of his or her face
Je pense que l'expression sur son visage est intéressante.	I think that the expression on his or her face is interesting.

Vocabulaire utile pour décrire un dessin

un dessin humoristique	a humorous drawing
un dessin satirique	a satirical drawing
une caricature	a caricature
Le dessinateur veut qu'on voie...	The artist wants us to see ...
Le dessin se passe en ville.	The drawing takes place in town.
Dans la bulle on peut lire...	In the thought balloon we can read ...
Le fait qu'il y a une bulle avec un point d'interrogation indique que le personnage est déconcerté.	The fact that there is a thought balloon with a question mark indicates that the person is puzzled
une bulle de parole	a speech bubble
le clou de l'histoire	the punch line
C'est une publicité qui a pour but de persuader les gens d'acheter des cigarettes	It is an ad whose goal is to persuade people to buy cigarettes.
L'image est une publicité pour les téléphones portables.	The image is an add for mobile phones.
À mon avis, l'image parle d'elle-même.	The image speaks for itself.
Il y a un slogan en dessous de l'image.	There is a slogan underneath the picture.
C'est une image puissante qui nous fait réfléchir.	It is a powerful image that makes us think.
J'adore l'aspect humoristique de cette image.	I love the funny side of this image.
Selon moi, c'est un symbole de / d'...	According to me it is a symbol of ...
Je trouve que cela transmet une impression de...	I find that it conveys an impression of ...
À mon avis, le titre est très bien choisi.	In my opinion the title is really well chosen.
Je pense que l'intitulé de l'image est tout à fait adapté.	I think that the title of the image fits very nicely.
En majuscule(s) on peut voir...	In capitals you can see ...
En minuscule(s) on peut voir...	In small letters you can see ...

Quelques expressions utiles pour décrire les couleurs

Couleurs froides (par ex. le vert et le bleu) / couleurs chaudes (par ex. le rouge et le jaune)	Cool colours (for example green and blue) / warm colours (for example red and yellow)
Les couleurs sont saisissantes.	The colours are striking.

la photo est nette / la photo n'est pas nette / elle est trouble	*the photos is in focus / the photo is out of focus*
gros plan	*close-up*
en gros plan on peut voir	*in close-up we can see*
vu en gros plan	*seen in close-up*
à mi-chemin	*half way along*
à mi-hauteur en partant du bas	*half way up*
à mi-hauteur en partant du haut	*half way down*
à mi-distance entre x et y	*half way between x and y*
le but du photographe est / était de (+inf)...	*the aim of the photographer is / was to (+inf)...*

Quelques prépositions utiles

devant	*in front of*
au-dessus de / d'/ du / de la / de l' / des	*on top of*
sous	*below*
au-delà de / d' / du / de la / de l' / des	*beyond*
derrière	*behind*
dans	*in*
sur	*on*
sous	*under*
en dessous de / d' / du / de la / de l' / des	*underneath*

Vocabulaire utile pour identifier le type de scène

il s'agit de / d'...	*it is about / it is*
ça se trouve / c'est...	*it is situated*
une scène campagnarde	*a country scene*
un paysage urbain	*an urban setting*
à l'intérieur / à l'extérieur	*inside / outside*
une vue	*a view*
c'est une vue de Dublin	*it is a view of Dublin*
c'est pris / vu de devant	*it is a front view*
c'est pris / vu de derrière	*it is a rear view*
c'est une vue aérienne	*it is an aerial view*
c'est une vue de la mer	*it is a sea view*
c'est une vue des montagnes	*it is a mountain view*

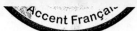

Le Document

Vocabulaire pour introduire un document

C'est une photo tirée d'un magazine / de la couverture d'un magazine/ d'un journal/ d'une publicité/ d'un tableau etc...	*It is a photo taken from a magazine / from the cover of a magazine / from a newspaper / from an add / of a painting.*
C'est une photo en noir et blanc / en couleur.	*It is a black and white / colour photo.*
J'ai trouvé cet article sur Internet / dans un journal.	*I found this article on the internet / in a newspaper.*
Ce qui est dépeint dans la photo / sur la photo c'est ...	*What is depicted in the photo is ...*

Vocabulaire utile pour décrire une photo

au premier plan	*in the foreground*
en arrière-plan	*in the background*
à côté de / d'/ du / de la / de l' / des	*next to*
au centre, au milieu	*in the centre / middle*
au second plan	*in the middle distance*
en haut / en bas de l'image	*at the top / at the bottom of the picture*
dans le coin supérieur droit	*in the top right-hand corner*
dans le coin inférieur droit	*in the bottom right-hand corner*
dans le coin supérieur gauche	*in the top left-hand corner*
dans le coin inférieur gauche	*in the bottom left-hand corner*
sur le côté droit	*on the right hand side*
sur le côté gauche	*on the left hand side*
dans la partie supérieure droite / gauche	*in the upper right / left part*
dans la partie inférieure droite / gauche	*in the lower right / left part*
juste au centre de l'image	*right in the middle of the image*
dans les coins	*in the corners*
de chaque côté	*on each side*
des deux côtés	*on both sides*
le cadre	*the frame*
juste à côté de / d' / du / de la / de l' / des ... il y a...	*just next to ... there is / there are...*
comme vous pouvez le voir, il y a...	*as you can see, there is / there are...*
je ne sais pas si vous pouvez voir mais il y a...	*I don't know if you can see but there is /there are...*
au premier plan, on peut voir / on voit...	*in the foreground, we can see / see...*
face à face	*face to face*
ils sont côte à côte	*they are side by side*
net(te) / trouble	*in / out of focus*

des couleurs soutenues	*deep colours*
des couleurs vives	*vivid colours*
des couleurs atténuées	*subdued colours*
des couleurs douces	*soft colours*
des couleurs claires	*light colours*
des couleurs sombres	*dark colours*
des couleurs attrayantes	*attractive colours*
des couleurs éclatantes	*striking colours*
une touche de rouge	*a splash of red*
une image monochrome	*a monochrome image*
des tons chauds	*warm tones*
bien éclairé(e)	*well lit*
brillant(e)	*bright*
faiblement éclairé(e)	*poorly lit*

Some questions that the examiner could ask in order to begin talking about the document:

1. Je vois que vous avez apporté un document ; alors de quoi s'agit-il ?
2. Nous allons maintenant passer à votre document si vous voulez bien ?
3. Et maintenant, parlez-moi un peu du document que vous avez préparé.
4. Tout d'abord / Premièrement / En premier lieu... dites-moi pourquoi vous avez choisi ce document / cette photo / cette carte postale / cet article ...

Some possible answers that could allow you to introduce your document:

1. Eh bien en fait, comme j'ai fait l'année de Transition et que c'était vraiment une expérience formidable, j'ai voulu en parler aujourd'hui. C'est pour cette raison que j'ai préparé cette affiche avec différentes photos.
2. Oui bien sûr. J'ai préparé un document sur mes vacances en famille en Bretagne l'année dernière car c'était ma première fois en France. Je voudrais discuter un peu de la culture et de la nourriture françaises.
3. Ah oui, mon document. Eh bien c'est très simple. J'adore la lecture et depuis l'année dernière, j'essaie de lire en français. Mon prof m'a donné l'adresse d'une librairie qui vend des livres en français et mon but est d'en acheter un environ tous les deux mois. Celui que j'ai apporté aujourd'hui est très amusant. C'est l'histoire de / d' ...

Finally remember to give a good deal of time to your choice of document. It can be a very good idea to ask friends and family what they would ask you about your chosen document. If you find that there are not many areas of discussion arising from your document it may be time to reconsider your choice.

MA FAMILLE ET MOI

(Le vocabulaire relatif à cette unité se trouve à la page 87.)

1A AVANT D'ÉCOUTER

Faites une liste au tableau noir de tous les noms relatifs aux membres de la famille, par exemple 'le cousin', 'la sœur', etc.

1B

Five people talk about the member of their family that they get on best with.

cool laid-back, easy-going, sound	*comprendre* to understand
rigoler to be fun, to have fun	*la naissance* birth

(a) During the first listen, fill in the grid with the relevant family member.

Speaker no.	Gets on best with
1.	_____
2.	_____
3.	_____
4.	_____
5.	_____

(b) During the second listen, match the number of the speaker with the reason given.

Speaker no.	Reasons for getting on well with family member
_____	Understands him
_____	Is good fun
_____	Twins often have a special relationship
_____	Like doing the same things
_____	Has an optimistic outlook
_____	Isn't critical
_____	Go to sporting events together
_____	Gives good advice
_____	Have similar characters
_____	Sees him as the child he doesn't have

(c) Et vous, y a-t-il un membre de votre famille avec qui vous vous entendez particulièrement bien ?

_____

_____

1C QU'EST-CE QUE VOUS AIMERIEZ CHANGER CHEZ VOUS ?

Trop bavard . . . ? Pas assez drôle . . . ? Le magazine de jeunes *Phosphore* a demandé à des jeunes ce qu'ils aimeraient changer chez eux *(about themselves)*.

(a) Écoutez leurs réponses et remplissez la grille.

Name	What he/she says
1. Yannick	_____
2. Mustafa	_____
3. Julien	_____
4. Amandine	_____

→

5. Anne-Sophie	_____
6. Marcellin	_____
7. Angèle	_____
8. Coralie	_____
9. Lucien	_____
10. Douce	_____

(b) Exercice oral/écrit :
Et vous, est-ce qu'il y a un aspect de votre personnalité que vous aimeriez changer ?

_____

_____

1D LES DISPUTES

(a) Pré-écoute :
Dans chaque famille, il y a, bien sûr, des disputes de temps en temps. Avant d'écouter des jeunes Français parler de cela, dites ce qui provoque le plus de conflit chez vous.

emprunter	to borrow	*râler*	to give out

(b) Maintenant, écoutez ces quatre personnes et notez les numéros à côté des causes de disputes. Attention ! Deux des raisons données ne figurent pas sur la cassette.

Cause of arguments at home	Number
Taking clothes without asking	_____
Wanting the car	_____
Loading the dishwasher	_____
Hogging the TV remote control	_____
Helping with the ironing	_____
State of bedroom	_____

1E CRÈCHE FLOTTANTE

amarré moored	*l'Erdre* (the name of a river)

1. This floating crèche will open
   (a) at the end of the year.
   (b) in seven years' time.
   (c) at the end of September.

2. The barges will be
   (a) 14 m and 28 m long.
   (b) 40 m and 38 m long.
   (c) 14 m and 38 m long.
   (d) 40 m and 28 m long.

3. How wide will they be?

   _____

4. How will the two barges be connected?

   _____

5. How many children will 'la crèche flottante' accommodate?

   _____

1F LES PLUS VIEILLES JUMELLES DU MONDE

En écoutant la cassette, remplissez les blancs dans ce passage sur les plus vieilles jumelles du monde.

Les plus vieilles jumelles du monde ont fêté _____ leur _____ anniversaire au Japon, expliquant que ___ _____ est encore plus belle une fois passées les cent _____ années. Kin Narita et Gin Kanie ____ _____ cet anniversaire entourées de quelque 140 membres de _____ _____ et de leurs amis à Nagoya, dans le centre ___ Japon.

   Elles ont reçu des _____ et des félicitations du _____ entier. Elles ont même enregistré un '____ ____ _____', qui les a amenées à remplir leur première déclaration d'impôts, en raison du succès du _____.

1G RENCONTRE: THE CORRS – UNE HISTOIRE DE FAMILLE

Après quatre ans d'absence, et plus soudée que jamais, la fratrie des Corrs est de retour avec *Borrowed Heaven*, un quatrième album studio fleurant bon l'irish pop.

1. According to Caroline, what did she and Sharon do in the previous four years? (Part 1)

    Caroline: _____

    Sharon: _____

2. What did Andrea do? (Part 2)

    _____

3. Complete: 'The casting was so perfect that the actor _____ _____ .' (Part 2)

4. According to Andrea, in what two ways is the new album different? (Part 3)

    (a) _____

    (b) _____

5. What two things typify a Corrs album? (Part 3)

    (a) _____

    (b) _____

6. The song *Time Enough for Tears* was written for a film. Why did the Corrs decide to put it on their new album? (Part 4)

    _____

7. Success hasn't gone to the Corrs' heads. Give two reasons why this is so according to Caroline and Andrea. (Part 5)

    (a) _____

    (b) _____

1H

You will now hear a conversation between two young people, Alain and Christelle.

1. How does Christelle describe
    (a) Alain's mood at the disco?

    _____

    (b) Alain's general mood for some time?

    _____

2. (a) What problem is causing concern in Alain's home?

    _____

    (b) Why is it difficult to do anything about that problem at the moment?

    _____

3. (a) What problem does Christelle have at home?

    _____

    (b) Why had she not previously talked about it to Alain? (**One** point)

    _____

4. (a) How had Christelle misbehaved during the geography class?

    _____

    (b) What did the teacher do?

    _____

(L.C.H.L. 2000)

Unité 2

LE LOGEMENT

(Le vocabulaire relatif à cette unité se trouve à la page 89.)

2A AVANT D'ÉCOUTER

Faites trois listes au tableau noir :
- (a) Pièces
- (b) Meubles
- (c) Ménage

2B JACKPOT!

1. When did Tim Rivers learn that he had lost his job?
   - (a) Last week
   - (b) A week ago
   - (c) Yesterday

2. How much money did he win?
   - (a) 80 million dollars
   - (b) 89 million dollars
   - (c) 49 million dollars
   - (d) 90 million dollars

3. Tim Rivers a
   - (a) 33 ans.
   - (b) 23 ans.
   - (c) 30 ans.
   - (d) 43 ans.

4. Il a des enfants de
    (a) 4 ans et 6 ans.
    (b) 4 mois et 6 mois.
    (c) 4 ans et 16 mois.
    (d) 4 ans et 6 mois.

5. Il va acheter
    (a) une maison et un véhicule 4x4.
    (b) une maison et des véhicules 4x4.
    (c) une maison et deux véhicules 4x4.

2C MA PIÈCE PRÉFÉRÉE

Five people talk about their favourite room. Fill in the grid.

	Room	*Why?*	*Items / furniture mentioned*
1.			
2.			
3.			
4.			
5.			

2D QUIZ

Listen to the following list of clues and match the places with the correct letters.

1. Bibliothèque	——		9. Lycée		——
2. Stade	——		10. Banque		——
3. Piscine	——		11. Centre omnisports		——
4. Mairie	——		12. Commissariat de police	——
5. Gare	——		13. Auberge de jeunesse		——
6. Église	——		14. Poste		——
7. Boulangerie	——		15. Centre commercial		——
8. Pharmacie	——				

2E SAINT-DENIS, CÔTÉ STADE DE FRANCE

La vie quotidienne s'est peu à peu transformée autour du Stade de France. Plusieurs quartiers ont été rénovés, mais pas tous.

(a) Pré-écoute :
Which of the following relating to the changes brought about by the construction of the Stade de France do you think you will hear on the tape?

1. La construction de restaurants fast-food ❐
2. Moins de monde dans le quartier ❐
3. Le renouvellement du quartier ❐
4. Des services de transports améliorés ❐
5. Tous les habitants contents des changements ❐
6. L'occasion de gagner beaucoup d'argent ❐
7. Une baisse des prix dans le quartier ❐
8. Une hausse des prix dans le quartier ❐

une usine	factory	*s'inquiéter*	to worry
le Mondial	World Cup	*grâce à*	thanks to
la soucoupe volante	flying saucer	*la casquette*	cap
coincé entre	jammed between	*les jumelles*	binoculars
délabré	dilapidated	*le commerçant*	shopkeeper
retraité	retired	*remplir*	to fill
avouer	to admit	*la caisse*	till
le bruit	noise	*flamber*	to shoot up
le rez-de-chaussée	ground floor	*augmenter*	to increase

(b) Écoutez ce passage et répondez aux questions.

PART 1
1. What previously occupied the Stade de France site?

_____

2. Jérôme works in a _____ , just _____ the Stade de France.

3. Write down two words you hear for 'shop'.

(a) _____

(b) _____

PART 2

4. What is the Stade de France bordered by?

_____

5. Name two things which have been built recently.

(a) _____

(b) _____

6. Ginette, a local inhabitant,

(a) used to work for _____

(b) has lived in her **HLM** for _____

(c) can see from her window

(i) _____

(ii) _____

(d) mentions two things she doesn't like:

(i) _____

(ii) _____

PART 3

7. What is 'Le Rendez-vous du Stade'?

_____

8. Name four things which Pascal sells.

(a) _____

(b) _____

(c) _____

(d) _____

9. Around the Stade, prices have increased. How much is

   (a) a sandwich? _____

   (b) a beer? _____

10. In the space of a week, the price of a room in the Hotel Ibis went up from _____ Euro to _____ Euro.

2F CHAMBRES D'HÔTE

Qu'est-ce que c'est qu'une 'chambre d'hôte' ? C'est une chambre chez l'habitant, qui se loue à la nuitée ou plus, dans la maison même du propriétaire ou, exceptionnellement, dans un bâtiment attenant. La prestation comprend l'hébergement pour la nuit et le petit déjeuner. C'est un peu comme notre système de 'B&B'.

PART 1

1. For how long have 'chambres d'hôte' been successful?

_____

2. How many get official approval (*sont labelisées*) each year?

_____

3. What is the age range of the typical client?

_____

PART 2

4. What made Gilles Viotte decide to try a 'chambre d'hôte'?

_____

5. Why did he decide to stay the full week? (Any four reasons)

   (a) _____

   (b) _____

   (c) _____

   (d) _____

6. What has opened up 'chambres d'hôte' to a wider clientele?

_____

7. What does Isabelle say about this sort of accommodation? (Any three things)

(a) _____

(b) _____

(c) _____

PART 4

8. Why did Christiane not like working with her husband?

_____

_____

9. Christiane enjoys having paying guests for several reasons. Tick which of the following she does **not** mention.

(a) She meets interesting people. ❒

(b) She likes the money. ❒

(c) She likes working at home because the children are small. ❒

(d) Many guests come back each year. ❒

(e) She enjoys meeting foreigners. ❒

(f) There are always people around. ❒

(g) It's an easy way to earn money. ❒

10. Fill in the blanks:

Les hôtes payants _____ pour la plupart de courts _____ , mais un client ____ _____ prolonge.

11. What is the attitude of the hoteliers to this sort of accommodation?

_____

_____

12. What three words in the final sentence tell you that they aren't getting anywhere?

_____

2G PRENDS DU POULET ET RACONTE-MOI TA VIE

Lancée en 1991 du côté de Toulouse, l'idée des Repas de Quartier où tout le monde discute, dans la rue, au-dessus d'une bonne assiette, s'est répandue dans toute la France.

(a) Pré-écoute :
À votre avis, que veut dire le titre ci-dessus ?

casser la croûte	to eat (to break a crust)	*entamer*	to start
réfléchir	to think	*le ventre*	stomach
le but	aim, goal	*l'âme*	soul

(b) Écoutez et répondez aux questions.

1. Encerclez les bonnes réponses.
    (a) According to Claude Sicre, people talk to each other more easily
        at home / while eating / in the street.
    (b) Sicre is *51 / 50* years old.
    (c) He is a *cook / musician / writer.*

2. Remplissez les blancs.

    Selon lui, les gens devraient marcher et non _____ , se parler

    véritablement et non _____ avec un téléphone portable

    ou un _____ , prendre le temps de _____ , de réfléchir ou

    de se _____ .

3. State as precisely as you can how a 'Repas de Quartier' works.

    _____

    _____

4. In which of the following towns and cities will there be a 'Repas de Quartier'?

Arras	❐	Grenoble	❐	Marseille	❐	Rennes	❐
Aurillac	❐	Lens	❐	Nancy	❐	Strasbourg	❐
Bordeaux	❐	Lille	❐	Paris	❐	Toulon	❐
Cognac	❐	Lyon	❐	Reims	❐	Toulouse	❐

2H

On return from three weeks' holidays in Nice, Marc is met at a railway station in Northern France by his mother, Mme. Vallet.

1. Where did Marc go most afternoons?

   _____

2. (a) Write down **two** points about the location of the studio in Paris.

   (i) _____

   (ii) _____

   (b) Give **one** reason why Mme. Vallet does not like living in the country.

   _____

3. (a) How much did the studio cost?

   _____

   (b) List **two** items of work that need to be done to renovate the studio.

   (i) _____

   (ii) _____

4. What sarcastic comment does Marc make about inviting his friends to stay?

   _____

   (L.C.H.L. 2003)

L'ÉDUCATION

(Le vocabulaire relatif à cette unité se trouve à la page 92.)

3A AVANT D'ÉCOUTER

The following words all relate to school. Classify them according to whether they are (a) people, (b) subjects, (c) places or (d) school materials. Write the words in French in the correct box.

Le prof	L'allemand	Le français	Le crayon
Le labo	Le directeur	Le cahier	La bibliothèque
Le stylo	Les arts ménagers	La salle des profs	Le lycéen
L'élève	La craie	La biologie	L'histoire
Le collège	Le lycée	La directrice	Le dictionnaire

People	*Subjects*	*Places*	*Materials*
1. _____	1. _____	1. _____	1. _____
2. _____	2. _____	2. _____	2. _____
3. _____	3. _____	3. _____	3. _____
4. _____	4. _____	4. _____	4. _____
5. _____	5. _____	5. _____	5. _____

3B DE QUELLE MATIÈRE PARLE-T-ON ?

Match the correct number with the subject.

Matière	Numéro	Matière	Numéro
La philosophie	————	Les maths	————
L'espagnol	————	La géographie	————
L'ÉPS (Éducation physique et sportive)	————	L'informatique	————
		L'anglais	————
La physique	————	La biologie	————
L'histoire	————		

3C

Question d'une élève au magazine *Miss* : *'Les devoirs de vacances sont-ils indispensables ?'*

'Mes parents veulent absolument que je fasse des devoirs de vacances. Moi, je préfère cent fois aller m'amuser avec mes amies. Est-ce si nécessaire ?'

(a) Pré-écoute :
Dans quelles circonstances les devoirs de vacances seraient-ils nécessaires ?
Commencez chaque phrase avec 'si' ou 'quand'.

s'en passer	to do without	*en revanche*	on the other hand
le manque	lack	*la grande surface*	hypermarket
la corvée	chore	*les renseignements*	information
inutile	useless		

(b) Écoutez les réponses du magazine et répondez.

1. What is the magazine's first response to the question, 'Is holiday homework necessary'?

———

2. 'Si ton année n'a pas été bonne' – which three things might be the cause of this?

   (a) _____

   (b) _____

   (c) _____

3. Complete:
   If holiday homework is a chore, then _____

   _____ .

4. 'Des deux prochains mois' – which two months are these?

   _____

5. You can get revision books (*cahiers de devoirs de vacances*) to help you. Give the following information.

   (a) Where you can buy them:

   (i) _____

   (ii) _____

   (b) Three subjects/areas that are particularly in demand:

   (i) _____

   (ii) _____

   (iii) _____

   (c) One good point about these books:

   _____

   (d) One bad point:

   _____

   (e) Cost per subject:

   _____

6. Write down the helpline phone number.

   _____

3D UNIFORME SCOLAIRE

(a) Est-ce que vous portez un uniforme à l'école ?

1. Si oui, décrivez-le. Si non, décrivez ce que vous portez aujourd'hui.
2. Que portez-vous . . .
    (a) à la maison ?
    (b) le weekend ?
    (c) lorsque vous sortez ?
    (d) à la plage ?
    (e) en hiver ?
    (f) lorsque vous pratiquez un sport ?

Utilisez :
*   Je porte . . .
*   Je mets . . .
*   Je m'habille en . . .

(b) Parmi les choses sur la liste suivante, qu'est-ce qui est interdit ou autorisé dans votre école ?

	Autorisé	Interdit
1. Les tatouages	❐	❐
2. Le piercing (de la langue, des lèvres)	❐	❐
3. Les cheveux longs (garçons)	❐	❐
4. Les cheveux rasés	❐	❐
5. Les boucles d'oreilles	❐	❐
6. Les bagues	❐	❐
7. Les moustaches	❐	❐
8. Les barbes	❐	❐
9. Le maquillage	❐	❐
10. Le vernis à ongles	❐	❐
11. Les mini-jupes	❐	❐
12. Le mascara cheveux	❐	❐

3E LA RENTRÉE EN EUROPE

Comment rentre-t-on hors de France? Tour d'horizon chez nos voisins européens. Écoutez et répondez aux questions.

surprenant	surprising	*une coupure*	a break (in continuity)
intraduisible	untranslatable	*s'étaler*	to spread, be spread
redémarrer	to re-start	*rouvrir*	to reopen
hexagonal(e)	French (referring to the shape of France)		

1. What is it that makes 'la rentrée' in France different from the equivalent expressions in Britain or Italy?

    _____

    _____

2. Fill in the blanks in the following statements about 'back-to-school' times in different European countries.

    (a) In Britain, children go back to school in September, too, but since people go away for a shorter time, on average _____ , and nothing _____ , they don't feel such a break (between holidays and going back to school/work).

    (b) In Belgium, the holidays start at the beginning of _____ and last for two months. Normal daily life resumes at the _____ _____ .

    (c) Because Germany is a federal state, the return to school is spread and takes place over the months from _____ to _____ .

    (d) Spanish towns are abandoned in favour of the countryside and the _____ regions because of the heat in the month of _____ . Life gets back to normal at the beginning of _____ , but schools don't reopen until after the _____ of the month.

    (e) In Italy, many businesses close for _____ before and after the national holiday on the _____ . The further south you go, the later the schools go back – the _____ in Naples, compared to the _____ in Turin.

3F 'TOUT SUR LE CONSEIL DE DISCIPLINE . . .'

À quoi sert un conseil de discipline ? Pourquoi et comment fonctionne-t-il ?

(a) Pré-écoute :

1. Quelles sont les règles dans votre école ? Utilisez :
    - Il faut . . .
    - On doit . . .
    - Il est interdit de . . .
    - Il est défendu de . . .

2. Quelles sont les sanctions ?

des bêtises	stupid acts, 'messing'	*par courrier*	by post
la colle	detention	*parmi*	amongst
exclure	to suspend (a pupil)	*l'adjoint*	deputy principal
se battre	to fight	*la commune*	local area
déclencher	to set off	*durer*	to last
réunir	to call (a meeting)	*l'épreuve*	test, ordeal
convoquer	to summon	*l'exclusion définitive*	expulsion

(b) Écoutez et répondez.

1. Complete:
    For minor rule-breaking the punishment is generally
    (a) _____
    (b) _____
    (c) _____

2. For how many days can the school principal suspend a pupil?
    _____ , _____ and even _____ .

3. What punishment might a pupil who was late three times in a row receive?
    _____

4. And a pupil caught fighting?
    _____

5. For what 'crime' might a pupil be suspended for a week?

   _____

6. Complete:

   Le conseil de _____ est _____ aux

   cas _____ .

7. What four incidents might result in a meeting of the Disciplinary Council?

   (a) _____

   (b) _____

   (c) _____

   (d) _____

8. Name three types of people who sit on the Council.

   (a) _____

   (b) _____

   (c) _____

9. Name two other groups of people who are invited.

   (a) _____

   (b) _____

10. (a) For how long might a session of the Council last?

    _____

    (b) What decision can it take?

    _____

3G

You will now hear an interview with a mother, Michelle, whose son, Benoît, has just come back from a language improvement course in England.

1. (a) What was the first problem encountered by the French group when it arrived in England?

   _____

   (b) Write down **one** point Michelle makes about Mrs Brown.

   _____

2. Write down **two** ways in which Benoît had to look after himself.
   (a) _____
   (b) _____

3. Write down **one** thing that Benoît enjoyed in England.

   _____

(L.C.H.L. 2002)

3H

You will now hear a report on stealing in schools, broadcast by a Radio France journalist. Répondez aux questions.

1. Name any three things that were in Lydia's schoolbag according to this report.
   (a) _____
   (b) _____
   (c) _____

2. According to this teacher, at what times of year are thefts most likely to take place in school?

   _____

3. What precautions does Julien's P.E. teacher take to prevent thefts?

   _____

4. According to Jean-Pierre, what are the two reasons why adolescents steal?

(a) _____

(b) _____

(L.C.H.L. 1991)

31

The principal of a French secondary school explains the system of 'école ouverte' where schools remain open outside of normal operating time.

1. Who is entitled to attend the 'école ouverte'?

_____

2. Write down **two** examples of the activities that are mentioned.

(a) _____

(b) _____

3. Give **two** reasons why, according to this principal, teachers are reluctant to participate.

(a) _____

(b) _____

4. Write down **one** point which Emine makes about the teachers at the 'école ouverte'.

_____

(L.C.H.L. 2003)

LE SPORT ET LES LOISIRS

(Le vocabulaire relatif à cette unité se trouve à la page 95.)

4A AVANT D'ÉCOUTER

Faites une liste en classe des passe-temps que vous associez aux verbes suivants.

Regarder	Écouter	Lire	Jouer
Faire	Aller	Sortir	Collectionner

4B QUIZ SUR LES PASSE-TEMPS

After hearing a clue or definition on the tape, insert the correct number beside each pastime.

Pastime	Number	Pastime	Number
Le dessin	_____	L'équitation	_____
Voyager	_____	Regarder la télé	_____
La musique	_____	Le hurling	_____
Le cyclisme	_____	Les jeux d'ordinateur	_____
La natation	_____	La mode	_____
Le cinéma	_____	La lecture	_____
Collectionner des cartes postales	_____	La voile	_____
		Le bricolage	_____
La photographie	_____		

4C LES VERBES

Vous allez entendre une liste de verbes souvent employés pour parler des passe-temps. Ils sont tous au présent. Notez le bon numéro à côté de son équivalent anglais.

A. They take _____	H. They go out _____	O. We watch _____	
B. You go _____	I. He reads _____	P. I do _____	
C. They listen _____	J. I go _____	Q. She listens _____	
D. He plays _____	K. I sing _____	R. They read _____	
E. She plays _____	L. You collect _____	S. She goes out _____	
F. We sing _____	M. I knit _____	T. I cook _____	
G. You make _____	N. You dance _____		

Notez : Alors qu'en anglais on dit souvent 'I go' pour des activités sportives ('I go swimming', 'I go running', 'I go riding', etc.), cela se traduit d'habitude en français par le verbe 'faire' ('Je fais de la natation', 'Je fais du jogging', 'Je fais de l'équitation', etc.).

4D LE SPORT EN EUROPE

(a) Pré-écoute :

Avant d'écouter quelques faits intéressants sur le sport en Europe, faites ce quiz de pré-écoute pour tester vos connaissances dans ce domaine !

		À mon avis	*En réalité*
1.	Les trois sports les plus pratiqués d'Europe sont		
	(a) le foot, le vélo et le tennis.	❏	❏
	(b) la natation, la marche et le vélo.	❏	❏
	(c) l'équitation, le vélo et le basketball.	❏	❏

2. La France possède l'un des plus beaux domaines skiables d'Europe. Quel pourcentage de Français possèdent des skis ?

		À mon avis	*En réalité*
	(a) 67%	❏	❏
	(b) 6,7%	❏	❏
	(c) 22,9%	❏	❏

3. Où trouve-t-on le plus grand nombre de bicyclettes ?

		À mon avis	*En réalité*
	(a) au Danemark et en Suède	❏	❏
	(b) aux Pays-Bas et en Belgique	❏	❏
	(c) au Royaume-Uni	❏	❏

4. Les vêtements représentent quel pourcentage des ventes de matériel sportif ?

		À mon avis	*En réalité*
	(a) 50%	❏	❏
	(b) 30%	❏	❏
	(c) 70%	❏	❏

5. Quel pourcentage de la population des pays suivants ne pratique aucun sport de façon régulière (au moins une fois par mois) ?

			À mon avis	*En réalité*
	(a) L'Irlande	75%	❏	❏
		25%	❏	❏
		55%	❏	❏
	(b) Le Royaume-Uni	61%	❏	❏
		31%	❏	❏
		11%	❏	❏
	(c) La Suède	19%	❏	❏
		39%	❏	❏
		59%	❏	❏

(b) Listen to the facts, then tick the correct box.

4E SANS TÉLÉ

Ces gens ont accepté d'être privés de télé pendant un mois. Comment ont-ils réagi ? Écoutez et répondez.

SPEAKER 1

(a) This person
    (i) didn't miss television. ☐
    (ii) did miss it. ☐
    (iii) honestly can't say whether she missed it or not. ☐

(b) Which two things did she do instead?

    (i) _____

    (ii) _____

SPEAKER 2

Which two types of programme did this person miss?

(a) _____

(b) _____

SPEAKER 3

(a) What was their friends' attitude to them giving up TV for a month?

_____

(b) Name one good result of the sacrifice.

_____

SPEAKER 4

(a) How did this person cheat (*tricher*)?

_____

(b) Why does he think his wife knows he cheated?

_____

SPEAKER 5

Fill in the blanks in English:

I found it hard not to go to my _____ house to watch my favourite _____ . That's the _____ with these programmes – you want to know what will happen in the next episode. But, once the first _____ had passed, I began to _____ it easier. It's a bit like giving up _____ , in the beginning it's very hard. Now my evenings are very _____ . I _____ , I _____ , I _____ , I think it's very good!

SPEAKER 6

Give the gist of what this person says about television in her home.

_____

_____

SPEAKER 7

Contrast this person's attitude with that of his parents.

(a) Parents: _____

_____

(b) Speaker: _____

_____

SPEAKER 8

(a) How did this person's classmates help her?

_____

(b) What have her parents now decided to do?

_____

(c) How much television will she watch?

_____

4F FAIRE LA DISTINCTION ENTRE LE PASSÉ COMPOSÉ, LE PRÉSENT ET LE FUTUR PROCHE

(a) Pré-écoute :

Avant de faire cet exercice, vérifiez avec votre professeur que vous connaissez la différence entre le passé composé, le présent et le futur proche. Attention ! Il n'existe pas d'équivalent français à l'anglais 'I am doing', 'We are going', etc.

(b) Now listen to the sentences on the tape. Then tick the box in each of the following to indicate what the person has said.

1. (a) I went to the pool. ❐
   (b) I'm going to go to the pool. ❐

2. (a) We went to the cinema. ❐
   (b) We're going to the cinema. ❐

3. (a) He did his homework. ❐
   (b) He's doing his homework. ❐

4. (a) She went out. ❐
   (b) She's going out. ❐

5. (a) Pierre is going to come with us. ❐
   (b) Pierre came with us. ❐

6. (a) I'm going to a friend's house. ❐
   (b) I went to a friend's house. ❐

7. (a) I played rugby. ❐
   (b) I play rugby. ❐

8. (a) She is arriving at 8 o'clock. ❐
   (b) She arrived at 8 o'clock. ❐

9. (a) We took the train. ❐
   (b) We're going to take the train. ❐

10. (a) They're going to go out on Saturday. ❐
    (b) They went out on Saturday. ❐

11. (a) I play hockey on Wednesdays. ❐
    (b) I played hockey on Wednesdays. ❐

12. (a) He left. ❒
    (b) He's leaving. ❒

13. (a) I'm staying at home. ❒
    (b) I stayed at home. ❒

14. (a) Did you watch TV? ❒
    (b) Are you going to watch TV? ❒

15. (a) I'm reading a book on the history of football. ❒
    (b) I read a book on the history of football. ❒

4G LA COUPE DU MONDE ET LA TRAGÉDIE [RADIO FM]

Here's a news item recorded on the night that France won the World Cup (12 July 1998). The newscaster speaks at normal pace, so you'll need to listen two or three times before attempting the questions. The item tells of the celebrations in Paris, a tragic incident involving a car, the return of the French team to their base at Clairefontaine, and their triumphal return the next day to the Champs-Élysées.

le pari	bet	*le klaxon*	car-horn
le titre	title	*les feux d'artifice*	fireworks
ravir	to snatch from	*foncer*	to crash
la mi-temps	half	*encadrer*	to surround
la rencontre	match		

1. Time of the news broadcast: _____

2. Write in French another way of saying 'l'équipe de France'.

   _____

3. What was the score in the match? _____

4. Write the word for 'two goals'. _____

5. What two expressions of celebrations are mentioned?
   (a) _____
   (b) _____

6. How many people were on the Champs-Élysées?

   _____

7. What happened about 3 a.m.?

   _____

8. (a) How many people were injured? _____
   (b) How many were seriously injured? _____

9. The driver was a woman. True or false? _____

10. What did the driver do immediately?

    _____

11. At what time did the French team get back to Clairefontaine?

    _____

12. (a) How will the team travel down the Champs-Élyseés?

    _____

    (b) At what time will they do this?

    _____

4H LA FIN D'UN MONDE

dégringoler	to tumble

1. Mattel have announced that
   (a) _____
   (b) _____

2. Sales of Lego have dropped by _____ _____ in _____ years,
   particularly in _____ .

3. Remplissez les blancs avec les verbes que vous entendez.

   Le responsable ? L'ordinateur. Les enfants _____ désormais
   _____ avant même de _____ ou d'_____ .
   Résultat : un enfant de trois ans _____ un jeu vidéo à des
   briques Légo.

4I

Catherine Laborde, who presents the weather forecast on the French TV channel TF1, talks about her job.

1. How did Catherine Laborde learn that TF1 had a vacancy for a weather forecast presenter?

   _____

2. (a) What does Catherine Laborde say to support her claim that the weather forecast is the most frequently watched programme on television? (**One** point)

   _____

   (b) What does she find surprising?

   _____

3. In what way, according to Catherine, does the job of a journalist/news-reader differ from that of a weather forecast presenter?

   _____

   (L.C.H.L. 2003)

4J

A spokesperson from the French Orienteering Federation gives some information about orienteering.

1. Name **two** basic requirements for orienteering.

   (a) _____

   (b) _____

2. State **one** advantage of this activity.

   _____

3. How many people go orienteering in the *Parc de Sceaux* every day?

   _____

4. Name **one** group of people you could meet on an orienteering trail.

   _____

   (L.C.H.L. 2000)

LE TRANSPORT

(Le vocabulaire relatif à cette unité se trouve à la page 98.)

5A ACCIDENT DANS LE VAR

(a) Questions :

FIRST SENTENCE

1. Number of people hurt: _____ 2 _____

2. How were they hurt?
    _____ plane crash _____

3. When did this happen?
    _____ ~~Saturday~~ This midday _____

SECOND SENTENCE

4. At what stage did the accident happen?
    _____

THIRD SENTENCE

5. What was the likely cause?
    _____

(b) Après-écoute :

Dressez une liste des mots-clé de ce passage au tableau. Écoutez-le encore une ou deux fois, puis essayez de le reconstruire de mémoire dans votre cahier.

5B FERMETURE DES QUAIS

un transat	a deckchair

1. Which city is this item about? _Paris_
2. From when will the road along the quays be closed?
    Tonight
3. What is the reason for the closure?

    _____
4. When is the opening planned for?

    _____
5. When will cars be able to drive along the Right Bank again?

    _____

5C DEUX FRÈRES SE PERCUTENT EN VOITURE

1. Write down the words you hear for 'Lady Luck'.

    _____
2. What ages were the two brothers?

    _____
3. Name the day and time of the accident.

    _____
4. Two brothers crashing into each other is unusual enough. But what made this accident particularly bizarre?

    _____

    _____
5. What was the final outcome for the two brothers?

    _____

5D FERMETURE D'UN TUNNEL

(a) Pré-écoute :
Avant d'écouter la cassette, essayez de remplir les blancs dans le passage :

Le _____ franco-italien du Fréjus est _____ dans les _____ sens depuis ____ après-midi 15 heures, une fermeture en raison d'un accident entre un _____-car et _____ moto qui a fait un _____ et un _____ .

(b) Maintenant écoutez la cassette.
(c) Pourriez-vous reconstruire cette phrase sans regarder vos notes ?

5E DEPARDIEU CONDAMNÉ POUR CONDUITE EN ÉTAT D'IVRESSE

(a) Questions :
1. Dites si les phrases suivantes sont vraies ou fausses.

	Vrai	*Faux*
(a) Gérard Depardieu a eu un accident de voiture.	☐	☐
(b) Il a été emprisonné.	☐	☐
(c) Il a payé 1 500 euros.	☑	☐
(d) On lui a retiré son permis de conduire pendant trois mois.	☐	☐
(e) L'accident s'est passé à Cannes.	☐	☐
(f) Il y a eu des blessés.	☐	☐
(g) Cela s'est passé le 8 mai.	☐	☐
(h) Il avait plus de cinq fois la quantité autorisée d'alcool dans le sang.	☐	☐

2. When and where did Depardieu say he had been drinking?
    18th may _____

3. What did he drink?
    _____

4. What reasons did he give for having drunk too much?

   (a) _____

   (b) _____

5. How did he say 'I behaved very badly'?

   Très mal _____

6. How was he dressed at the hearing?

   Blue trousers _____

7. Fill in the blanks:

   Je ne suis pas pour l'alcool au _____ . Je suis _____ avec le
   tribunal pour être _____ . Je trouve ça _____ .

(b) Après-écoute :

1. Êtes-vous d'accord avec Gérard Depardieu que la conduite en état
   alcoolique, c'est 'lamentable' ?

2. À votre avis, comment devrait-on sanctionner/punir quelqu'un qui est
   coupable de conduite en état d'ivresse ?

Pour vous aider à exprimer votre opinion :
- Je crois qu'on devrait . . .
- À mon avis, on devrait . . .
- Je suis pour le/la . . .
- Je suis contre le/la . . .
- La seule solution, c'est de . . .
- Ce n'est pas la solution.

Sanctions/punitions possibles :

(a) Verbes
- Lui retirer son permis de conduire (pendant . . .)
- Le condamner à . . . mois de prison/L'emprisonner pendant . . .
- Lui faire payer une amende de . . .

(b) Noms
- Le retrait de son permis
- La condamnation à . . . mois de prison/L'emprisonnement
- Le paiement d'une amende de . . .

5F VÉHICULES 4X4

(a) Les 4x4 proscrits de Paris ?

1. Why does the 'Conseil de Paris' want to limit the use of four-wheel drive
    vehicles in the capital?

    (a) _____

    (b) _____

    (c) _____

2. Fill in the blanks in the final sentence:

    Denis Baupin, adjoint aux _____ , estime que ____ véhicules

    'n'ont _____ à faire dans la capitale' et _____ à plus _____

    terme leur _____ pure et simple.

(b) Les acheteurs de 4x4 urbains

1. The Chrysler study drew four conclusions about people who buy four-
    wheel drive vehicles for use in towns. Listen to the tape and see if you
    can hear at least three of them.

    (a) _____

    (b) _____

    (c) _____

    (d) _____

2. How much more often than the average vehicle is a 4x4 likely to roll over
    in an accident?

    _____

3. Why is this?

    _____

(c) À vous d'en parler

1. Que pensez-vous du vote du Conseil de Paris ?
2. Selon le maire de Londres, les conducteurs de ces véhicules sont 'de vrais
    idiots s'ils les conduisent en ville'. Êtes-vous d'accord avec ce qu'il dit ?
3. Quelle est votre expérience de ces véhicules et de leurs conducteurs ?
4. Est-ce que notre ministre de l'environnement devrait les interdire dans
    les grandes villes irlandaises ?

5G L'ACTUALITÉ : DEUX FAITS DIVERS

Here are two news reports of accidents. The first happened in the Dordogne area of France; the second off the coast of Haiti. Fill out the grid. If a particular question doesn't apply, put a dash (–) in the relevant line.

le camion-citerne	tanker (lorry)	le secours	aid, help
le passage à niveau	level crossing	sombrer	to sink
percuter	to crash into	se noyer	to drown
s'embraser	to burst into flames	l'aube	dawn
		rejoindre	to reach

	1. Dordogne	2. Haiti
Means of transport involved:	_____	_____
No. of deaths:	_____	_____
No. of injured:	_____	_____
Day of accident:	_____	_____
Time (approx.):	_____	_____
No. of passengers aboard:	_____	_____
No. of survivors (i.e. neither killed nor injured):	_____	_____
Exact location of accident:	_____	_____
	_____	_____
Cause of accident/deaths:	_____	_____
	_____	_____

5H LE JOUR OÙ LA SUÈDE EST PASSÉE À DROITE

Jusqu'en 1967, on roulait à gauche en Suède, comme en Irlande et au Royaume-Uni. Mais leurs voisins, les Norvégiens et les Finlandais, par exemple, roulaient tous à droite. Ce n'était pas pratique, et en plus, les Suédois étaient victimes de beaucoup d'accidents à l'étranger. Alors le gouvernement suédois a décidé que, le 3 septembre 1967, la Suède 'passerait à droite'.

(a) Pré-écoute :
Avant d'écouter la cassette, dites lesquelles des mesures suivantes seraient nécessaires pour préparer la population à un tel changement.

Il faudrait :   Oui / Non

1. Changer toutes les lignes blanches sur les routes   _____
2. Changer la situation des arrêts de bus   _____
3. Changer les horaires aux arrêts de bus   _____
4. Effacer toutes les flèches blanches sur le sol   _____
5. Dépenser beaucoup d'argent   _____
6. Repeindre les flèches blanches sur le sol   _____
7. Changer les numéros des bus   _____
8. Donner des cours dans les écoles, les collèges et les lycées   _____
9. Organiser une campagne de prévention à la télé   _____
10. Demander à tous les conducteurs de repasser leur permis   _____
11. Limiter la vitesse au début   _____
12. Afficher des posters dans les lieux publics   _____

les ouvriers de la voirie	road workers	un rond-point	a roundabout
une flèche	an arrow	les phares	headlights
tracer	to draw	une manchette	an armband
effacer	to erase	les piétons	pedestrians
un carrefour	a junction	une hécatombe	slaughter

(b) Questions :

1. Complete the following sentences to describe Stockholm on the day before the changeover.

    (a) That Saturday, _____ invades Stockholm.

    (b) Almost no _____ sounds on the streets.

    (c) Only _____ , _____ and _____ driving around.

    (d) _____ and soldiers remove the _____ which were covering the signposts placed _____ .

    (e) Others paint _____ on the ground and erase the _____ .

    (f) The city wakes up on the Sunday to a blossoming of new _____ and _____ .

2. What was the arranged changeover time?

    _____

3. In the space of how many minutes was the changeover completed?

_____

4. What was the increase in police numbers for the occasion?

_____

5. What change was brought in for the first few hours?

_____

6. What was said about headlights?

_____

7. What was the role of the students wearing armbands?

_____

8. Complete:

Les _____ avaient fait leur _____ scolaire une semaine

plus tôt pour _____ les règles de _____ .

9. What other measures were taken to educate the public about the changes
due to take place?

(a) _____

(b) _____

(c) _____

10. Fill in the missing infinitives in the following sentence:

Côté voirie, il a fallu _____ les autoroutes, _____ les

arrêts de bus, _____ les carrefours.

11. Which one of the following sums up the last sentence?
    During the first two weeks after the changeover

(a) there were sixteen deaths on the roads,
    i.e. twice as many as usual.   ❒

(b) there were sixteen deaths on the roads,
    i.e. half as many as usual.   ❒

(c) there were six deaths on the roads,
    i.e. half as many as usual.   ❒

1. Imaginez ce qui se passerait en Irlande si le gouvernement prenait la même décision. Utilisez le conditionnel (il y aurait . . . , ce serait . . . , etc.)
2. Pensez-vous que le jour viendra où nous roulerons à droite en Irlande ? Pourquoi ?

5I L'AUTOMOBILE NOUS LIBÈRE DE . . . LA VIE !

le parc (automobile)	the number of cars	*les décès*	deaths

(a) Première écoute :
Remplissez la grille.

No. of people killed worldwide by cars each day: _____

No. of people injured worldwide by cars each day: _____

No. of people killed in France in the last 15 years: _____

No. of people killed in 1972 in France: _____

No. of people killed last year in France: _____

% of road deaths due to alcohol in France: _____

% of road deaths due to alcohol in Britain: _____

(b) Deuxième écoute :

1. Why is the city of Toulon mentioned?

   _____

2. What do the figures for 1972 and last year prove?

   _____

3. France compares favourably with Britain in relation to road deaths. True or false?

   _____

LA SANTÉ

(Le vocabulaire relatif à cette unité se trouve à la page 99.)

6A LA SANTÉ DES JEUNES

(a) Pré-écoute :

À votre avis, qu'est-ce qui menace le plus la santé des jeunes de nos jours ? Parlez-en cinq minutes en classe et faites une liste au tableau noir. Ça peut être des maladies, des comportements ou des habitudes.

(b) Puis écoutez l'enregistrement et remplissez les grilles.

PREMIÈRE ÉCOUTE

Name	Age	Occupation/ Class, etc.	Considers most serious threat to health
1. Anne			
2. Antoine			
3. Jean			
4. Cristelle			
5. Nathalie			
6. Martin			
7. Djamila			
8. Roger			

1. What does Anne predict in the course of the next twenty years?

    _____

2. (a) Complete Antoine's sentence:

    Plus de _____ personnes _____ chaque année en France d'un cancer des _____ .

    (b) What does Antoine say about young people's reaction to such statistics?

    _____

3. According to Jean
    (a) AIDS is no longer an incurable disease.   ❐
    (b) there has been very little progress in developing treatments.   ❐
    (c) there has been a lot of progress in developing treatments.   ❐

4. (a) What impression does Cristelle get about the young people she teaches?

    _____

    _____

    (b) What does Cristelle predict for young people in later life?

    _____

5. Complete Nathalie's sentences:

    Je ne comprends pas très bien _____ _____ . C'est très compliqué et il est difficile d'aider _____ qui est _____ .

6. Which sentence best expresses Martin's opinion?

    (a) Les jeunes passent trop de temps sur leur travail scolaire.   ❐
    (b) Les jeunes n'ont pas assez de temps à l'école.   ❐
    (c) Le rythme scolaire est bien équilibré.   ❐

7. (a) Which two parts of the body does Djamila mention?

    (i) _____

    (ii) _____

(b) What does she sometimes wonder about her friends who drink every day?

_____

8. What is Roger not sure about?

_____

6B NAISSANCE INSOLITE

(a) Pré-écoute :

Reliez les éléments de gauche avec la bonne explication à droite.

A. Un embryon

B. Une première médicale

C. Venir au monde

D. Une césarienne

1. Naître

2. Intervention médicale qui permet d'extraire un bébé de l'utérus de la mère

3. Stade de développement d'un bébé avant la naissance

4. Nouvelle découverte ou pratique dans le domaine de la médecine

(b) Questions :

1. When did this birth take place?

_____

2. In which city did it take place?

_____

3. What was the sex of the baby?

_____

4. What was the weight of the baby?

_____

5. What was the baby's condition?

_____

6. What is unusual about this baby?

_____

7. Fill in the blanks:

Malgré la durée de la _____ , il ne s'agit pas d'une première _____ aux États-Unis. Un hôpital de Pennsylvanie avait annoncé qu'un bébé _____ dans ses murs en décembre provenait d'un _____ qui avait été _____ pendant environ huit années.

8. Que pensez-vous de ce que vous venez d'entendre ?
   (a) C'est merveilleux, un triomphe de la technologie moderne. ❏
   (b) C'est horrible, on ne devrait pas permettre ce genre de chose. ❏
   (c) En principe c'est bien, mais où est-ce que ça va mener ? ❏
   (d) Il n'y a pas assez de débat sur cette sorte de chose. ❏
   (e) On ne devrait pas interrompre le développement
       normal d'un être humain. ❏
   (f) Si le bébé se porte bien, c'est la preuve que ça ne fait
       pas de mal. ❏

6C L'OBÉSITÉ DES FRANÇAIS

(a) Pré-écoute :
Quelles sont, selon vous, les deux ou trois causes principales de l'obésité ?

autant	as much	*à l'inverse*	on the other hand
l'enquête	survey	*la palme*	prize
le tiers	third	*le fléau*	scourge
le surpoids	overweight		

(b) Questions :

PREMIÈRE ÉCOUTE
Quel est le message principal de cet article ?

_____

DEUXIÈME ÉCOUTE
1. In what context are the Americans and Canadians mentioned?

_____

2. How many French adults are overweight or obese? Give the fraction and the number.

   _____

3. What do the figures (a) 8.2% and (b) 3.5 million refer to?

   (a) _____

   (b) _____

4. Complete:

   More than _____ (of obese people) are _____ .

5. Complétez :

   Mais ceux qui sont frappés d'obésité _____ , avec de sérieuses

   conséquences pour leur _____ , c'est-à-dire _____ personnes,

   sont surtout des _____ .

6. What is the average (a) weight and (b) height of seriously overweight people?

   (a) _____

   (b) _____

7. Name three categories of people between the ages of 55 and 64 where obesity is particularly common.

   (a) _____

   (b) _____

   (c) _____

8. In what context are these areas of France mentioned?
   (a) Le Nord, l'Auvergne, etc.

   _____

   (b) La Franche-Comté, la Bretagne, etc.

   _____

9. Write down the words you hear in the last section for

   (a) little by little: _____

   (b) worldwide: _____

   (c) illness: _____

   (d) century: _____

6D SURVEILLEZ-VOUS L'ÉQUILIBRE ALIMENTAIRE DE VOS ENFANTS ?

Four French people were asked if they made sure their children had a balanced diet. Fill in the information from each interview where applicable.

manger du bout des dents	to eat reluctantly	*gavé*	stuffed
grignoter	to nibble/ pick at food	*une collation*	a light meal

1. **ÉRIC DERVAUX**

   Age: _____

   Occupation: _____

   No. of children: _____

   2 positive aspects of diet: _____

   _____

   2 negative aspects of diet: _____

   _____

2. **LUCIENNE DE GOUSSENCOURT**

   Age: _____

   Occupation: _____

   No. of children: _____

   2 positive aspects of diet: _____

   _____

   2 negative aspects of diet: _____

   _____

3. **ÉDOUARD ABADIE**

   Age: _____

   Occupation: _____

   No. of children: _____

   2 positive aspects of diet: _____

   _____

4. **FRANÇOIS LE GOFF**

   Age: _____

   Occupation: _____

   No. of children: _____

   2 negative aspects of diet: _____

   _____

6E LES SANGSUES

Listen to this short item about the use of leeches in French hospitals and answer the questions in English.

une sangsue	leech/bloodsucker
une bestiole	little creature/insect/bug

1. How many leeches were supplied to French hospitals over the past six years?

_____

2. On average, how many of these creatures are bought by hospitals each year?

_____

3. What sort of 'miracles' are they responsible for?

_____

6F TOXICOMANIE

Interview avec le Docteur Bardet, spécialiste en toxicomanie

(a) Première écoute :
Tick off the drugs you hear mentioned.

1. L'héroïne ☐
2. La cocaïne ☐
3. L'ecstasy ☐
4. Les amphétamines ☐
5. Le cannabis ☐
6. La méthadone ☐
7. Les barbituriques ☐

(b) Deuxième écoute :
Which of these things does Docteur Bardet say during the interview? Tick them off.

1. Environ 7 millions de Français ont consommé au moins une fois une drogue dans leur vie. ☐
2. Le cannabis est une drogue douce. ☐
3. Le cannabis crée une dépendance. ☐
4. Les fumeurs de joints sont, en majorité, des hommes jeunes. ☐
5. L'ecstasy peut provoquer une dépendance. ☐
6. Il y a moins d'héroïnomanes qu'avant. ☐
7. Il y a environ 130 000 héroïnomanes actuellement en France. ☐
8. On consomme moins d'héroïne à cause de la peur du SIDA. ☐
9. On consomme moins d'héroïne à cause de la peur de la police. ☐
10. Il faut établir un programme de substitution pour les héroïnomanes. ☐

6G LA JEUNESSE S'INQUIÈTE

Twelve young people were asked which international problem they find most worrying.

(a) For each response, you are given two possibilities in English. Tick the one which best sums up each person's viewpoint. (This type of exercise is best done after spending a short time thinking about the sort of vocabulary you can expect to hear.)

1. (a) The increasing number of refugees in the Third World ☐
   (b) The increasing number of refugees in the world ☐

2. (a) The fact that some Third World societies are decimated by AIDS ☐
   (b) An increase of one third in the incidence of AIDS in the past decade ☐

3. (a) Diminished respect for the environment ☐
   (b) Lack of respect for the environment ☐

4. (a) A quarter of the world's population – the north – has a better standard of living than the south ☐
   (b) The gap between the standard of living in the northern countries and those in the south ☐

5. (a) Lack of electricity ☐
   (b) Illiteracy ☐

6. (a) The number of children living on the streets because
       they have no-one to care for them ☐
   (b) The number of street children – it should be halved ☐

7. (a) Nuclear missiles ☐
   (b) Air quality ☐

8. (a) The fact that 40 000 children die every day ☐
   (b) The fact that 14 000 children die every day ☐

9. (a) That we don't support famine-relief operations sufficently ☐
   (b) That we seem unable to eradicate famine from certain
       parts of the world ☐

10. (a) The fact that we're living in an increasingly violent society ☐
    (b) The fact that there are more and more violent societies
        in the world ☐

11. (a) The increasing likelihood of war in space ☐
    (b) The continual solving of problems by war ☐

12. (a) The fact that being well off is very important today ☐
    (b) The fact that human qualities seem less important
        than owning consumer goods ☐

(b) Listen to the tape again and this time, write down in French how the following expressions were said on the tape. This vocabulary is very useful for oral and written work. (The numbers refer to the numbers on the tape.)

1. What worries me is:	_____
2. It's the fact that:	_____
3. It would be:	_____
4. I'm disgusted by:	_____
	→

5. I find . . . worrying: _____

6. I'm horrified by: _____

7. When I think about it: _____

8. If it's true, it's disgraceful: _____

9. Unacceptable: _____

10. I think it's: _____

11. What I find very sad . . . despite: _____

_____

12. It's that: _____

(c) Et vous, y a-t-il un problème qui vous préoccupe ? Utilisez le vocabulaire ci-dessus pour exprimer votre opinion.

6H LE TABAGISME

(a) Pré-écoute :

1. Est-ce que vous fumez des cigarettes ?
2. Si oui . . .
    (a) Pourquoi fumez-vous ?
    (b) Combien de cigarettes fumez-vous par jour ?
    (c) Combien ça vous coûte par semaine ?
3. Si vous ne fumez pas, pour quelles raisons ?
4. Faites une liste en classe du pour et du contre du tabagisme.

Pour	*Contre*
J'aime le goût.	C'est très nuisible à la santé.
C'est cool de fumer.	C'est très cher.
Tous mes copains fument.	Les gens ne veulent pas partager
Mes parents fument.	la fumée des autres.

(b) *Voici deux petits articles sur le tabagisme.*

ARTICLE 1

1. Le message principal de cet article, c'est
    (a) que le nombre de fumeurs a baissé en France.   ☐
    (b) que le nombre de fumeurs a augmenté en France.   ☐
    (c) que le taux de tabagisme a diminué parmi les ados français.   ☐
    (d) que plus de jeunes français fument actuellement
        qu'il y a vingt ans.   ☐

2. Fill in the figures:

    The percentage of smokers aged from ____ to ____ has decreased in
    _____ : from ____ in _____ to ____ in the _____s.

3. What percentage is given for young smokers now?

    _____

4. This information was given by the French Health Education Organisation.
    Listen to the cassette and fill in the missing letters for its French name:
    C _ _ _ _ _   F _ _ _ _ _ _ _   d'É _ _ _ _ _ _ _ _   p _ _ _   la   S _ _ _ _.

ARTICLE 2

Listen to this short item two or three times.

1. What have the social services of North Yorkshire decided?

    _____

2. Que pensez-vous de cette attitude ?

    _____

6I BELLE ET EN FORME

Question d'une lectrice (Magali, dix-sept ans) de magazine : *Comment rester mince tout l'été ?'*

'Chaque été, je grossis, car, dès qu'il fait beau, je mange peu pendant les repas pour rejoindre mes amis plus vite, puis je me rattrape dans la journée en buvant des sodas et en me gavant de sucreries et de glaces. Comment faire pour perdre ces mauvaises habitudes ?'

(a) Trouvez dans la question ci-dessus le contraire de ces mots.

la nuit : _____	hiver : _____
mauvais : _____	quitter : _____
bonnes : _____	ennemis : _____
trouver : _____	beaucoup : _____
je maigris : _____	lentement : _____

(b) The following sentences summarise the reply to Magali's question. Put them in the correct order (1–7) as you hear them.

Sentence	Number
Fais de la natation régulièrement.	_____
En buvant des jus de fruits tu ne prendras pas de poids.	_____
Et si tu suis mes conseils, tu auras une belle silhouette.	_____
Bois de l'eau plutôt que les sodas.	_____
Nager, c'est très bien pour garder la ligne.	_____
Beaucoup de fruits contiennent très peu de calories.	_____
Manger des fruits à 11 heures du matin ou à 5 heures de l'après-midi.	_____

6J ECSTASY : ATTENTION, DANGER !

Elle a fait son apparition en France au début des années 1990, en même temps qu'un nouveau type de soirée, les 'raves', qui rassemblent des milliers de jeunes au son de la musique techno de minuit jusqu'à l'aube.

(a) Pré-écoute :
1. Savez-vous quels sont les bienfaits de l'ecstasy, selon ses vendeurs ?
2. Savez-vous quels sont les effets nocifs, selon les médecins ?

n'importe quel	any	*le comportement*	behaviour
le cachet	tablet	*l'amaigrissement*	weight loss
le paradis	heaven	*le stupéfiant*	drug
nocif	harmful	*le contrôle*	checkpoint
l'angoisse	anguish	*le tribunal*	court

(b) Questions :

1. In what way is Ecstasy like any other medicine?

   _____

2. How much does a tablet cost in France?

   _____

3. 'Le paradis sur terre': What three feelings does the Ecstasy dealer promise you?

   (a) _____

   (b) _____

   (c) _____

4. 'Les effets nocifs': Name five problems which, according to experts, Ecstasy takers experience.

   (a) _____

   (b) _____

   (c) _____

   (d) _____

   (e) _____

5. What is another reason – apart from health reasons – for not taking Ecstasy?

   _____

6. Maintenant, décidez-vous ! Écrivez un petit article qui expliquerait votre point de vue : 'Prendre ou ne pas prendre d'ecstasy ?'

6K

Christine has given up smoking.

1. Name **two** feelings which made Christine want to smoke.

   (a) _____

   (b) _____

2. Why did she decide to give up smoking? (**One** reason)

   _____

3. State **one** side effect which she is experiencing.

   _____

4. Why is she particularly proud to have given up smoking? (**One** point)

   _____

(L.C.H.L. 2001)

UNITÉ 7

LES VACANCES ET LES VOYAGES

(Le vocabulaire relatif à cette unité se trouve à la page 101.)

7A EN VACANCES

Écoutez et remplissez les grilles.

> 1. Name: **MARIE** _____
> Destination: _____
> How long? _____
> With: _____
> Activities: _____
> Problems: _____
> Opinion of holiday: _____
>
> Name: **JÉRÔME** _____
> Destination: _____
> How long? _____
> Why? _____
> With: _____
> Travelled by: _____
> Had they been there before? _____
> Activities: _____
> Particularly liked: _____
> Didn't like: _____
>
> →

2. Name: **NICOLAS** _____

   Destination: _____

   How long? _____

   With: _____

   His attitude: _____

   Parents' attitude: _____

3. Name: **FRANÇOISE** _____

   Destination: _____

   How long? _____

   Stayed with: _____

   Found hard at first: _____

   Found strange at first: _____

   Then liked it because: _____

7B TOURISTES CHINOIS

PART 1

1. What proportion of Chinese people can now afford to travel to Europe?

   _____

2. From what date and year have the chinese started to come to Paris in large numbers?

   _____

PART 2

3. They spend on average
   - (a) €53 a day. ☐
   - (b) €730 a day. ☐
   - (c) €350 a day. ☐
   - (d) €530 a day. ☐

4. The department store *Printemps* have made special provisions for their Chinese customers. Write down one of these.

_____

5. Fill in the missing figures:

The tour operator *Ansel Travel* caters for between _____ and _____ Chinese tourists.

6. Complete in French:

Selon les prévisions de l'Office de Tourisme de _____ , les Chinois _____ dans dix _____ les touristes les plus nombreux sur le sol _____ , *ex aequo* _____ les Américains.

7C LE TITANIC

l'épave wreck	*au large* off the coast

(a) Première écoute :
1. Who had the idea for this holiday?

_____

2. What was the idea?

_____

3. What gave them the idea?

_____

(b) Deuxième écoute :
Remplissez la grille en français.

Combien ?	_____
Comment ?	_____
Où ?	_____
Durée ?	_____

7D LE CHIC EUROPÉEN

(a) Pré-écoute :

1. À votre avis, qui sont les Européens les plus chic aujourd'hui ?
2. Est-ce que les Irlandais s'habillent bien ? Sommes-nous assez conscients de notre apparence ?
3. Existe-t-il un style typiquement irlandais
   (a) de vêtements ?
   (b) de maisons/d'architecture ?
   (c) de meubles ?

(b) You will hear four people answer the question, 'Who do you think are the most stylish Europeans?'

1. During your first listen, note which nationalities (if any) are mentioned by the speakers. ('Cocorico', c'est le chant du coq. Ici, cela veut dire 'français'.)

Speaker no.	*Nationality*
1.	_____
2.	_____
3.	_____
4.	_____

2. During your second listen, answer the following questions.

FIRST SPEAKER

Which sentence sums up this woman's last sentence?

(a) Seulement les femmes sont chic. ❑

(b) Seulement les hommes sont chic. ❑

(c) Les hommes et les femmes sont chic. ❑

SECOND SPEAKER

Complete the sentences.

(a) The style of these people is not only visible in their clothing, but also in their _____ and their _____ .

(b) Il me semble que pour _____ , le style est _____ quelque chose à _____ .

THIRD SPEAKER
Which of the following statements best sums up this person's viewpoint?

(a) Il y a très peu de différence entre l'apparence des
    Européens de différentes nationalités.   ❏

(b) Il y a beaucoup de différence entre les jeunes Européens
    en ce qui concerne les vêtements.   ❏

(c) Les différences vestimentaires nationales sont très marquées. ❏

FOURTH SPEAKER
What does this girl have to say about the girls and boys she met while she was abroad?

(a) The girls _____

(b) The boys _____

7E DÉSORMAIS, IL EST POSSIBLE DE GOÛTER AUX JOIES DU BATEAU . . . TOUT EN RESTANT À QUAI

Interview avec Erwan Gouez, PDG de la société 'Boat and B'

constater	to discover	le carré	lounge area
louer	to hire	dehors	outside
plusieurs	several		

1. Fill in the figures:

   In France there are _____ boats from _____ to _____ metres in length.

2. How much time, on average, do these boats spend at sea?

   _____

3. What is M. Gouez's idea?

   _____

4. Why does M. Gouez mention Deauville, Saint-Malo, etc.?

_____

5. Which of these facilities are **not** mentioned?

   (a) double cabins ❏
   (b) showers ❏
   (c) toilet ❏
   (d) TV room ❏
   (e) lounge area ❏
   (f) barbecue ❏
   (g) fitted kitchen ❏
   (h) deck area ❏
   (i) breakfast room ❏

6. The prices are based on three periods of time. What are these times?

   (a) _____
   (b) _____
   (c) _____

7. Fill in the figures:

   A _____ metre boat for ____ people would cost _____ for a weekend.

7F VACANCES AVEC OU SANS ANIMAUX DE COMPAGNIE ?

(a) Pré-écoute :

1. Avez-vous un animal/des animaux de compagnie ?
2. Est-ce qu'ils vous accompagnent en vacances ? (En Irlande ? À l'étranger ?)
3. Que préférez-vous – partir avec ou sans votre animal de compagnie ?
4. Quels sont les problèmes que vous avez quand vous partez avec votre animal ?
5. Que faites-vous si vous voulez partir sans lui ?

un box	a stall	*cossu*	opulent, wealthy
une courette	a little yard	*à poils*	hairy (animals)
une cabine	a cubicle, booth	(N.B.	*À poil* naked)
bichonner	to pamper	*les frais*	costs

(b) Now listen to this radio item about the options available to French people who prefer not to take their pets with them on holidays. Then answer the following questions.

Section 1

1. As you listen, see if you can work out the meaning of these three words:
   (a) nounou: _____
   (b) toutou: _____
   (c) minou: _____

2. Fill in the blanks:

   Partir en vacances, c'est bien, pour se _____ , se _____ , faire la _____ et plein d'autres choses. Avec son animal de compagnie, c'est _____ un peu _____ .

3. What can make it complicated to go away without your pet?

   _____

4. SPA = _____ _____ des _____

5. How many animals are abandoned every year according to the SPA?

   _____

6. What four holiday places are mentioned in the final sentence?
   (a) _____
   (b) _____
   (c) _____
   (d) _____

Section 2

1. Where is Rose Hager's 'Dogsitters' situated?

   _____

2. How many dogs can she accommodate?

   _____

3. Describe the dogs' accommodation.

_____

4. What do the cats look out on?

_____

5. What effect had classical music on the animals according to Rose?

_____

6. How do they react to music such as rock, which Rose calls 'stressante'?

_____

7. What is the price range per day?

_____

SECTION 3
What are the two options offered by 'Dogsitting'?

(a) _____

(b) _____

SECTION 4
1. Fill in the blanks:

   Enfin, si vous n'avez pas _____ , mais que vous aimez _____
   des autres, voici un bon _____ .

2. The people who provide this service are
   (a) students.   ❐
   (b) young couples.   ❐
   (c) retired people.   ❐
   (d) unemployed people.   ❐

3. What animals did these Parisians have to mind on their first trip?

   (a) _____

   (b) _____

   (c) _____

4. What is the final plea?

_____

_____

Les vacances et les voyages ● **63**

7G

You will now hear two items from a French news programme. Répondez aux questions.

1. (a) Write down two of the reasons given to explain why pets are abandoned.

    (i) _____

    (ii) _____

    (b) Name two places where owners sometimes abandon their pets.

    (i) _____

    (ii) _____

2. (a) For how long had the astronauts been in orbit?

    _____

    (b) Name two activities they were involved in during their mission.

    (i) _____

    (ii) _____

(L.C.H.L. 1992)

7H

You will now hear an interview with André Rauch, a specialist on holidays. He speaks about recent opinion polls conducted among foreigners who had holidayed in France.

1. Mention **one** criticism made by foreign visitors.

    _____

2. Mention **one** point André Rauch makes here when asked if tourists' criticisms are justified.

    _____

3. How does André Rauch explain the present situation? (**Two** points)

    (a) _____

    (b) _____

4. Give **one** example of foreign tourist behaviour patterns which can lead to unsatisfactory relations with the French.

    _____

(L.C.H.L. 1998)

LES RAPPORTS

(Le vocabulaire relatif à cette unité se trouve à la page 102.)

8A AVANT D'ÉCOUTER

Dressez deux listes au tableau noir :

(a) du vocabulaire relatif à la description physique
(b) du vocabulaire pour décrire le caractère et la personnalité d'une personne.

8B LES PETITS AMIS

You will now hear five young French people talking about their boyfriends/girlfriends named below.

mince	slim	*costaud*	strong
mentir	to lie	*casser avec*	to break up with
supporter	to bear	*perdre*	to lose
marron	brown	*bouleverser*	to upset greatly
rigoler	to have fun	*se faire jeter*	to be dropped
des notes	marks	*s'arrêter*	to stop
le bac	the Leaving Cert	*parfois*	sometimes

(a) For the first four, fill in the grid.

Name	Age	Appearance	The speaker likes	The speaker doesn't like
Martin	_____	_____	_____	_____
		_____	_____	_____
Jacqueline	_____	_____	_____	_____
		_____	_____	_____
Pierre	_____	_____	_____	_____
		_____	_____	_____
Jeanne	_____	_____	_____	_____
		_____	_____	_____

(b) For the fifth person, Michel, match up both sides of the sentences.

1. Michel a cinq ans	A. n'aiment pas la différence d'âge.
2. Les parents	B. à la maison.
3. Michel a	C. gentil et s'entend avec les gens.
4. Michel ne vient jamais	D. de plus que sa petite amie.
5. Il est	E. fini ses études universitaires.

8C QUI DIT QUOI ?

(a) Tick the answers you hear from each person. More than one answer is possible.

What is romance?	Is Paris a romantic city?	What is the most romantic place in Paris?	Describe your ideal man/woman.
1. CHRISTOPHE • Something very gentle and sensual • Something very vague • It's very hard to say.	• Yes, but I've had enough of romantic people. • Yes, but there aren't enough romantic people. • Yes, but the people aren't.	• The Champs-Élysées • The quays along the Seine at sunset • Notre-Dame	• He must know her well. • She's a friend first, then a girlfriend. • Not someone who is a friend.
2. ANNE • Offering to help someone • Making a cake for someone • Giving a present which really touches someone	• Not at all, everyone's stressed. • Yes, but everyone's stressed. • Yes, because there's no stress.	• The Tuilerie gardens • The Luxembourg gardens • Place de la Concorde	• She often dreams of her ideal man. • He doesn't exist. • Physical appearance is important. • He must be intelligent. • He must be nice.
3. JÉRÔME • Lack of tension • Wanting to please • Happiness	• Not during the day. • It's magic on a summer's night. • No, it's embarrassing on a summer's night.	• Sacré-Cœur at night • The Eiffel Tower at night • The Opera at night	• She must be cultured. • Intelligence comes first. • Physical appearance doesn't matter. • The most important thing is physical appearance.

(b) Quel est votre endroit romantique préféré ?

(c) Quel est votre homme idéal ?/Quelle est votre femme idéale ?

8D LES ADJECTIFS

You will now hear twenty adjectives used to describe character/personality/
appearance. In each case tick the box to show whether what you hear

(a) is masculine

(b) is feminine

(c) could be either.

	Masc.	Fem.	Either
1.	☐	☐	☐
2.	☐	☐	☐
3.	☐	☐	☐
4.	☐	☐	☐
5.	☐	☐	☐
6.	☐	☐	☐
7.	☐	☐	☐
8.	☐	☐	☐
9.	☐	☐	☐
10.	☐	☐	☐
11.	☐	☐	☐
12.	☐	☐	☐
13.	☐	☐	☐
14.	☐	☐	☐
15.	☐	☐	☐
16.	☐	☐	☐
17.	☐	☐	☐
18.	☐	☐	☐
19.	☐	☐	☐
20.	☐	☐	☐

8E LA BALLADE NORD-IRLANDAISE (RENAUD SÉCHAN)

What is unusual about this song is that Renaud Séchan has written new words for an existing tune. The inspiration for the idea of the 'oranger' (*orange tree*) came from another song which contains the lines:

Un oranger sous un ciel irlandais
Ne se verra jamais.
(You will never see an orange tree
Under an Irish sky.)

Renaud uses the image of the 'oranger' for 'la paix'.

Dans cette chanson, Renaud exprime quelques opinions personnelles sur la guerre, la religion et l'amour. Êtes-vous d'accord avec ce qu'il a à dire ?

J'ai voulu planter un oranger
Là où la chanson n'en verra jamais,
Là où les arbres n'ont jamais donné
Que des grenades dégoupillées.

Jusqu'à Derry, ma bien-aimée
Sur mon bateau j'ai navigué.
J'ai dit aux hommes qui se battaient
'Je viens planter un oranger'.

Buvons un verre, allons pêcher,
Pas une guerre ne pourra durer
Lorsque la bière et l'amitié
Et la musique nous feront chanter.

Tuez vos dieux, à tout jamais
Sous aucune croix l'amour ne se plaît.
Ce sont les hommes, pas les curés
Qui font pousser les orangers.

Je voulais planter un oranger
Là où la chanson n'en verra jamais.
Il a fleuri et il a donné
Les fruits sucrés de la liberté.

8F JEAN-MICHEL JARRE ET ANNE PARILLAUD

1. What was known about Isabelle and Jean-Michel's relationship since February?

   _____

2. What did Isabelle announce to the press?

   _____

3. When did she make this announcement?

   _____

4. Fill in the blanks in the following section:

   Et _____ tentait, bien sûr, de mettre un _____ sur ce point
   d'interrogation. _____ , on sait. C'est dans les yeux _____
   d'Anne Parillaud, la belle héroïne ____ film *Nikita*, que brille l'étincelle
   qui a _____ au musicien l'envie _____.

5. The couple met first
   (a) professionally.   ❐
   (b) at a class.   ❐
   (c) at dinner with friends. ❐
   (d) in a restaurant.   ❐

6. How long have they been together?

   _____

7. Write in French 'They are looking towards the future'.

   _____

8. Write two things about Anne's career at present.

   (a) _____

   (b) _____

9. Where will Jean-Michel be on 10 October?

   _____

10. What will he be doing there?

   _____

8G LES ADOS AMÉRICAINS PRIVÉS DE SORTIE

Afin de lutter contre la délinquance juvénile, plusieurs grandes villes ont interdit les sorties nocturnes aux adolescents. Les avis sont partagés . . .

(a) Pré-écoute :
Pour quelles raisons, selon vous, les grandes villes interdiraient-elles les sorties nocturnes aux jeunes ? Cochez les cases, et vérifiez vos réponses en écoutant la cassette.

1. Les jeunes boivent de l'alcool dans la rue. ❑
2. Ils crient et hurlent trop fort quand ils sont dehors. ❑
3. Il y a trop de délinquance juvénile. ❑
4. Leurs parents ne veulent pas qu'ils sortent. ❑
5. Le nombre de meurtres commis par les ados a augmenté. ❑
6. La criminalité des jeunes a augmenté. ❑
7. On voudrait réduire la violence des jeunes. ❑
8. Les jeunes menacent les vieux dans la rue. ❑

le couvre-feu	curfew	*la décennie*	decade
soumis à	subject to	*la lutte*	fight
désormais	henceforth/from now on	*le durcissement*	hardening
le meurtre	murder	*à l'inverse*	on the contrary

(b) Questions :
1. Which three groups of people have instigated the idea of a curfew for young people in the USA?

    (a) _____

    (b) _____

    (c) _____

2. Tiana's story: Fill in the grid.

Age:	_____
What she was doing:	_____
Where she was:	_____
What happened:	_____
How late it was:	_____

3. Why exactly have the authorities initiated this measure?

_____

_____

4. There are also problems in American schools. What three measures have been taken there?

(a) _____

(b) _____

(c) _____

5. The evening and night curfews seem to be the wrong solution according to the article. What evidence is there for this?

_____

_____

8H

Isabelle and Marie-Laure discuss their boyfriends.

1. (a) Where did Marie-Laure and Jean-Pierre meet?

_____

(b) How did they meet?

_____

2. Write down **two** points about Jean-Pierre which make Marie-Laure slow to introduce him to her parents.

(a) _____

(b) _____

3. Give **two** reasons why Isabelle is happy in her relationship with Jacques.

(a) _____

(b) _____

4. What is said here about
   (a) the relationship between Jacques and his mother

   _____

and

   (b) what Jacques's mother thinks of Isabelle.

   _____

(L.C.H.L. 2001)

LES MÉTIERS ET L'ARGENT

(Le vocabulaire relatif à cette unité se trouve à la page 105.)

9A QUIZ SUR LES MÉTIERS

Listen to the clues and match the job with the correct number.

Job	*Number*
Informaticien	_____
Institutrice	_____
Journaliste	_____
Vétérinaire	_____
Agent immobilier	_____
Footballeur	_____
Cuisinier	_____
Architecte	_____
Vendeur	_____
Garçon de café	_____

9B VENTE PAR CONCOURS

Organiser un concours pour vendre son bien, c'est la dernière fausse bonne idée venue des États-Unis. Elle vous laisse espérer la fortune facile : vous ne récoltez que de la sueur et des larmes, car les Français ne sont pas prêts à jouer !

le concours	competition, raffle	*la bâtisse*	building
le vainqueur	winner	*l'échec*	failure
valoir	to be worth	*annuler*	to cancel
verser	to pay	*avorter*	to abort
céder	to offload		

1. Name five possessions that people raffle.

    (a) _____

    (b) _____

    (c) _____

    (d) _____

    (e) _____

2. What is the usual price range of tickets? From _____ to _____ .

3. Explain the reference to 'quelques places de cinéma'.

    _____

4. Complétez :

    . . . si votre bien valait _____ , et que _____ personnes aient versé _____ , vous empochez logiquement _____ euros . . .

5. Alfred Ameil and Stéphane Ransou tried to raffle something but disaster ensued! Fill in the grid. If a question doesn't apply, put in a dash.

	A. Ameil	S. Ransou
What they raffled	_____	_____
Value	_____	_____
Why the lottery failed	_____	_____
How much they lost	_____	_____

9C CHÔMEURS OCCIDENTAUX

1. All of the present tense verbs have been removed from the following passage. Listen carefully to the cassette, which your teacher will pause at intervals, and write down the missing verbs. When you have compared notes and your teacher has written the correct words on the board, fill them in in your book.

_____ une des conséquences inattendues de l'élargissement de l'Union européenne – des Européens qui n'_____ pas de travail chez eux ont décidé d'aller s'installer dans des nouveaux pays de l'UE. La Pologne _____ partie des destinations attractives. Les chômeurs y _____ d'un pouvoir d'achat plus important que dans leurs pays d'origine et forcément, ça _____ la vie.

Ils _____ d'Allemagne, de Suède, du Danemark, et en Pologne ces chômeurs occidentaux _____ des maisons spacieuses, _____ en taxi, _____ au restaurant et _____ des discothèques. En Pologne, mais aussi dans les autres nouveaux pays de l'Union, le coût de la vie _____ en effet nettement moins élevé qu'à l'ouest. Et avec les allocations qu'ils _____ dans leurs propres pays, les chômeurs venus d'ailleurs _____ ainsi vivre des vacances tranquilles, qu'ils ne pourraient s'offrir chez eux. Tout cela, bien sûr, _____ parfaitement conforme aux règlements européens et les Polonais _____ bien que ce phénomène nouveau _____ donner un coup de fouet au tourisme local.

2. Now list the verbs in their infinitive.

_____ _____ _____ _____

_____ _____ _____ _____

_____ _____ _____ _____

_____ _____ _____ _____

3. Note the French for
   (a) Greater purchasing power: _____
   (b) The cost of living is much lower: _____

   _____

4. Parlez ! Que pensez-vous de ce phénomène ? Seriez-vous prêt(e) à faire pareil ? Pourquoi ?

9D BILL GATES, LE MILLIARDAIRE DE L'INFORMATIQUE

(a) Pré-écoute :

Que savez-vous sur Bill Gates ? Cochez 'vrai' ou 'faux'.

	Vrai	*Faux*
1. C'est l'homme le plus riche du monde.	❐	❐
2. Il a trente-cinq ans.	❐	❐
3. Il collectionne des œuvres d'art.	❐	❐
4. Il est célibataire.	❐	❐
5. Il a fondé IBM.	❐	❐
6. 20 000 personnes travaillent dans son empire industriel.	❐	❐
7. Il habite dans une maison relativement modeste.	❐	❐
8. Il a fondé Microsoft.	❐	❐

un logiciel informatique	a computer programme
des technologies dernier cri	the latest technology
un outil	a tool
un foyer	a home
mettre au point	to perfect
foudroyant	amazing/staggering

(b) Questions :

1. Fill in the information on Bill Gates.

   (a) Age _____

   (b) Personal fortune (last year)_____

   (c) Got married to _____

   (d) Cost of his home _____

   (e) Home is equipped with _____

   (f) Collects _____

2. Fill in the blanks:

   Très tôt, il _____ l'intuition que l'_____ , longtemps

   réservé aux scientifiques, _____ un outil présent dans les

   _____ et les _____ .

3. What did Bill Gates do at the age of twenty?

_____

4. What was revolutionary about the programme called MS DOS, which he developed with a team of engineers?

_____

5. How many people work for Microsoft today?

_____

9E QUIZ SUR L'ARGENT

Écoutez et remplissez la grille.

No.	Amount of money (if any)	Context
1.	2 350 €	Monthly salary
2.		
3.		
4.		
5.		
6.		
7.		
8.		
9.		
10.		

9F

You will now hear an extract from an interview with a French firefighter, Marie-Ange Parère. Répondez aux questions.

1. (a) What is Marie-Ange's attitude to danger?

_____

(b) Why was 1976 a significant date for the fire service?

_____

2. How does Marie-Ange describe the two different attitudes towards her which she found among her colleagues when she first took up her job?

(a) _____

(b) _____

3. Write down two separate points Marie-Ange makes about her family's attitude to her work.

(a) _____

(b) _____

(L.C.H.L. 1997)

9G

You will now hear an extract from an interview with Danièle Bernadet who recently set up her own business called 'P'titour' in Paris. Répondez aux questions.

1. (a) What age was Danièle Bernadet when she became unemployed?

_____

(b) What service does 'P'titour' provide?

_____

2. When is the demand for the services of 'P'titour' greatest?

_____

3. What type of people work for Danièle Bernadet?

_____

(L.C.H.L. 1997)

9H

You will now hear Mario Piromalli, manager of the Rennes 'McDonald's', being interviewed on Top-Radio. Répondez aux questions.

1. Give two conditions for recruitment mentioned by M. Piromalli.

    (a) _____

    (b) _____

2. Why, according to M. Piromalli, does the company agree to take on people with no experience?

    _____

3. What type of person is sought by the company? (**One** point)

    _____

4. Mention one piece of advice given by M. Piromalli to young people going for a job interview.

    _____

(L.C.H.L. 1996)

LA PLANÈTE

(Le vocabulaire relatif à cette unité se trouve à la page 108.)

10A QUIZ SUR L'ENVIRONNEMENT

Match the clues on the tape with the items in the panel. Careful! Don't fill in any numbers until the second listen.

Item	Number
La couche d'ozone	_____
L'effet de serre	_____
La disparition d'espèces	_____
La déforestation	_____
La fonte des glaces	_____
La surpopulation	_____
La pluie acide	_____
Les déchets nucléaires	_____
La pollution	_____
Le détritus dans la rue	_____

10B EL NIÑO

Écoutez et remplissez la grille.

1. Where? _____
2. Type of weather: _____
3. No. of dead: _____
4. No. of disappeared: _____
5. Highest wind speeds: _____
6. When? _____
7. Structural damage:
   (a) _____
   (b) _____
8. Worst hit area: _____
9. Situation at the three funparks: _____
   _____

10C LA POLLUTION DE L'AIR

Remplissez les blancs.

Les habitants de six _____ du Sud-Est asiatique sont en proie à des difficultés respiratoires à cause de l'épais nuage de _____ brune provoqué par des _____ en Indonésie.

   Toute la région a été polluée et _____ dans une semi-obscurité, et la situation continue de se _____ . Des millions de personnes ___ Indonésie, en Malaisie, ___ Singapour, _____ Philippines, à Brunei et ___ Thaïlande ont reçu pour instruction de rester _____ elles et de porter des masques protecteurs.

10D TREMBLEMENTS DE TERRE

(a) Pré-écoute :

Avant d'entendre les détails sur deux tremblements de terre, essayez de répondre aux questions suivantes.

1. Connaissez-vous un autre mot pour décrire ce phénomène ?
    Un _____

2. Comment mesure-t-on la force d'un tremblement de terre ?
    Sur l'échelle de _____

3. Après un tremblement de terre ou un autre sinistre, on parle toujours du 'bilan'.
    (a) Ceux qui ont été tués, sont les m_____ .
    (b) Ceux qui ont été blessés, sont les b_____ (légers ou graves).
    (c) Ceux qui ont perdu leur maison, sont les s_____-_____ .
    (d) Pour décrire les bâtiments et routes abîmés, on parle de d _____.

Vous entendrez tous ces mots dans les deux reportages suivants.

(b) Remplissez la grille.

	1. Azores	*2. Italy*
When:	_____	_____
Injured:	_____	_____
Dead:	_____	
Damage:		_____
Magnitude:	_____	_____
Homeless:	_____	_____

10E PALMA DE BÉTON

Le tourisme a fait la fortune des îles Baléares. Il menace aujourd'hui de les étouffer.

Majorca has been disfigured by tourism. Which of these elements are mentioned as a problem/eye-sore?

1. The rapid change over thirty years ❐
2. Too many deck chairs on the beach ❐
3. Hastily built pubs and snack bars ❐
4. The influx of English and Dutch tourists ❐
5. Fights between hooligans in bars after a night's drinking ❐
6. Too many motorways have been built ❐
7. Tower blocks twelve storeys high ❐
8. The salt having eaten away some of the facades of the buildings ❐
9. Drug taking in public ❐
10. Majorca has earned a lot from tourism, which may now destroy it ❐

10F LES INONDATIONS

sans abri	homeless	*s'alourdir*	to get worse
craindre	to fear	*le piège*	trap
le bilan	toll	*le flot*	wave (i.e. flood water)

Remplissez la grille.

No. of deaths: _____

Cause of flooding: _____

Countries affected: (a) _____

(b) _____

No. of homeless people: _____

Why death toll may rise: _____

10G McDO ET L'ENVIRONNEMENT

| *l'emballage* wrapping | *dorénavant* henceforth | *lutter* to fight |

Écoutez et répondez.

1. How many hamburgers does the McDonald's chain sell throughout the world each year?

   _____

2. What decision has McDonald's now taken?

   _____

3. (a) What action had the McDonald's chain been threatened with?

   _____

   (b) Who had threatened to take this action?

   _____

   (L.C.H.L. 1992)

10H

You will now hear three radio news items. Répondez aux questions.

1. (a) What group is protesting?

   _____

   (b) Write down two of the demands that they are making.

   (i) _____

   (ii) _____

2. (a) What type of weather caused these accidents?

   _____

   (b) How many cars were involved in these accidents?

   _____

3. (a) Of what nationality are these refugees?

   _____

   (b) Name one factor that is said to be slowing down the movement of
   the refugees.

   _____

(L.C.H.L. 1997)

VOCABULAIRE GÉNÉRAL

UNITÉ 1 – MA FAMILLE ET MOI

l'arrière-grand-père (m)	great-grandfather
le grand-père (*maternel, paternel*)	grandfather (on mother's/father's side)
le père	father
l'oncle (m)	uncle
le frère	brother
le cousin	cousin
le neveu	nephew
le parrain	godfather
le petit-fils	grandson
le beau-père	father-in-law/stepfather
le gendre / le beau-fils	son-in-law/stepson
le mari / le conjoint / l'époux (m)	husband
le veuf	widower
le fils	son
le beau-frère	brother-in-law/stepbrother
le demi-frère	half-brother

*   *   *

l'arrière-grand-mère (f)	great-grandmother
la grand-mère	grandmother
la mère	mother
la tante	aunt
la sœur	sister
la cousine	cousin
la nièce	niece
la marraine	godmother

la petite-fille	granddaughter
la belle-mère	mother-in-law/stepmother
la belle-fille	daughter-in-law/stepdaughter
la femme/la conjointe/l'épouse (f)	wife
la veuve	widow
la fille	daughter
la belle-sœur	sister-in-law/stepsister
la demi-sœur	half-sister

*   *   *

la famille	family
la famille nombreuse	large family
la relation/le parent	relation
la famille monoparentale	single-parent family
le mariage	marriage
le concubinage	living together
le divorce	divorce
la séparation	separation
l'adoption (f)	adoption
la naissance	birth
la mort	death
l'enfance (f)	childhood
la jeunesse	youth
l'adolescence (f)	adolescence
épouser	to marry
se marier	to get married
divorcer	to divorce
vivre en union libre	to live together
adopter	to adopt
naître	to be born
mourir	to die
être adopté	to be adopted
en famille	as a family
familial (adj)	family
vieux/vieille	old (elderly)
âgé/e	aged
jeune	young
cadet/te	younger, youngest
aîné/e	older, oldest
le bébé	baby
le teenager	teenager
un/une adulte	adult
le jumeau/la jumelle	twin

UNITÉ 2 – LE LOGEMENT

la maison	house
l'appartement (m)	apartment
le HLM	local authority accommodation
l'immeuble (m)	apartment block
la tour	tower block
la chambre	room
le duplex	two-storey apartment
le deux-pièces	two-room apartment
le studio	bedsit
la ferme	farm
la maison de campagne	country house
le château	large house in the country/castle
la résidence secondaire	second home
l'hébergement (m)	accommodation
la chambre d'hôte	B&B
la nuitée	night (spent somewhere)
accueillant	welcoming

* * *

la pièce	room
la chambre	bedroom
la salle de bains	bathroom
la cuisine	kitchen
le salon / le séjour / le living	living room
la salle à manger	dining room
le bureau	study
le grenier	attic
la cave	basement
le hall / l'entrée (f)	hall
le WC	toilet
le garage	garage
le jardin	garden
l'étage (m)	storey
le toit	roof
la porte	door
la fenêtre	window
l'escalier (m)	stairs
en haut	upstairs
en bas	downstairs
le palier	landing
le plancher	wooden floor
le carrelage	tiled floor
la moquette	carpet

le linoléum	lino
le tapis	rug
le store	blind
le rideau	curtain
le papier peint	wallpaper

* * *

les meubles (m)	furniture
le lit	bed
la table de nuit	bedside table
la table de toilette	dressing table
le bureau	desk
la penderie/l'armoire (f)	wardrobe
la baignoire	bath
la douche	shower
le lavabo	washbasin
la cuisinière	cooker
le four	oven
le (four à) micro-ondes	microwave (oven)
le lave-vaisselle	dishwasher
la machine à laver	washing machine
le congélateur	freezer
le frigidaire/le frigo	fridge
la cafetière	coffee-maker
la bouilloire	kettle
le grille-pain	toaster
l'évier (m)	sink
le placard	cupboard
le robinet	tap
la chaise	chair
la casserole	saucepan
l'assiette (f)	plate
la tasse	cup
le verre	glass
la soucoupe	saucer
le pot	jar
le bol	bowl
la cuillère	spoon
la fourchette	fork
le couteau	knife
la télévision	TV
la radio	radio
le téléphone	telephone
le radio-cassette	radio-cassette player

le magnétoscope	video recorder
l'ordinateur (m)	computer
l'imprimante (f)	printer
le lecteur CD/DVD	CD/DVD player
le fauteuil	armchair
le canapé/le sofa	sofa
la lampe	lamp

* * *

habiter/vivre	to live
déménager	to move house
quitter	to leave
rentrer	to go/come home
se relaxer/se détendre	to relax
bricoler	to do DIY
décorer	to decorate
dormir	to sleep
se réveiller	to wake up
se coucher	to go to bed
se doucher	to have a shower
se laver	to wash
prendre un bain	to have a bath
se raser	to shave
s'habiller	to get dressed
cuisiner	to cook
manger	to eat
dîner	to have dinner
déjeuner	to have lunch
mettre la table	to set the table
débarasser la table	to clear the table
charger le lave-vaisselle	to load the dishwasher
vider le lave-vaisselle	to empty the dishwasher
faire la vaisselle	to do the washing-up
essuyer	to wipe
nettoyer	to clean
ranger	to tidy
faire le ménage	to do the housework
passer l'aspirateur	to hoover
étendre le linge	to hang out the washing
repasser/faire le repassage	to do the ironing
faire les lits	to make the beds
tondre la pelouse	to cut the grass
jardiner/faire du jardinage	to do gardening
balayer	to sweep

UNITÉ 3 – L'ÉDUCATION

la matière	subject
le français	French
l'anglais (m)	English
le gaélique	Irish
l'allemand (m)	German
l'espagnol (m)	Spanish
les maths (f)	Maths
la physique	Physics
la chimie	Chemistry
la biologie	Biology
le dessin	Art
la musique	Music
la comptabilité	Accounting
les arts ménagers (m)	Home Economics
l'histoire (f)	History
la géo(graphie)	Geography
l'informatique (m)	Computer Studies
l'instruction religieuse (f)	Religious Education
l'instruction civique (f)	Civics
l'économie (f)	Economics
l'ÉPS (Éducation physique et sportive)	P.E.
les travaux manuels (m)	Wood/Metalwork

* * *

un/une élève	pupil
le prof(esseur)	(secondary) teacher
un/une enseignant/e	teacher
le directeur	principal (m)
la directrice	principal (f)
un/une collégien/ne	junior pupil
un/une lycéen/ne	senior pupil
un/une étudiant/e	student
un/une interne	boarder
un/une externe	day pupil

* * *

l'école (f)	school
le collège	Junior Secondary School
le lycée	Senior Secondary School
la fac(ulté)	faculty
l'université (f)	university
le labo(ratoire)	lab

la bibliothèque	library
l'amphi(théâtre)	lecture room/big classroom
la cantine	canteen
le couloir	corridor
la cour	yard
le terrain (de foot)	(football) pitch
la salle de classe	classroom
la pension	boarding school
le bac(calauréat)	French Leaving Certificate
le bulletin scolaire	report
le cours	class
le diplôme	degree

*   *   *

corriger	to correct
travailler	to work, study
faire les devoirs	to do homework
passer un examen	to sit an exam
enseigner	to teach
apprendre	to learn
faire un échange	to do an exchange
écrire	to write
lire	to read
écouter	to listen
parler	to speak, talk
étudier	to study
expliquer	to explain
redoubler	to repeat (year)
échouer	to fail
réussir (à)	to succeed
exclure	to suspend, to expel

*   *   *

ennuyeux	boring
intéressant	interesting
facile	easy
difficile	hard
fort en	good at
moyen en	fair at
nul en	bad at
mixte	co-ed
l'emploi du temps (m)	timetable
la langue (étrangère)	(foreign) language
la calculatrice	calculator

la note	mark, grade
le programme	syllabus
la règle	rule
la récré(ation)	break
la rentrée	back to school
le trimestre	term
la Terminale	sixth year
les vacances (scolaires) (f)	(school) holidays
la colle	detention
l'exclusion (f)	expulsion

* * *

le foulard	headscarf
la chemise	shirt
le chemisier	top, blouse
l'écharpe (f)	scarf
la cravate	tie
la veste	jacket
le blouson	light jacket
le manteau	coat
la jupe	skirt
le pull	pullover
le tricot	heavy jumper
le jean	jeans
le pantalon	trousers
le maquillage	make-up
les lunettes (f)	glasses
le collier	necklace
la boucle d'oreille	earring
la bague	ring
le bijou	jewel
la ceinture	belt
la montre	watch

* * *

se maquiller	to put on make-up
s'habiller	to get dressed
porter	to wear
ôter / enlever	to take off
mettre	to put on
se déshabiller	to undress

UNITÉ 4 – LE SPORT ET LES LOISIRS

faire du sport	to do sport
jouer à	to play
jouer au foot	to play football
pratiquer un sport	to play a sport
participer	to participate
être membre de	to be a member of
gagner	to win
perdre	to lose
battre	to beat
faire match nul	to draw
courir	to run
s'entraîner	to train
emporter	to be victorious
lancer	to throw
marquer	to score
nager	to swim
plonger	to dive
marcher	to walk
regarder	to watch
tricher	to cheat

*   *   *

le foot	football
le foot gaélique	Gaelic football
le hurling	hurling
le basket	basketball
le volley-ball	volleyball
le hockey	hockey
le rugby	rugby
le golf	golf
le tennis	tennis
la natation	swimming
le cheval / l'équitation	riding
la plongée	diving
la planche à voile	wind surfing
la voile	sailing
la musculation	body building
la marche	walking
le vélo / le cyclisme	cycling
la randonnée	hike
le ping-pong	table tennis
le ski	skiing
l'athlétisme (m)	athletics

l'alpinisme (m)	mountaineering
les boules (f)	bowls
le canoë-kayak	canoeing
la formule 1	Formula 1 racing
la gymnastique	gymnastics
la moto	motorbike
le patinage	skating

* * *

le joueur	player
l'équipe (f)	team
l'arbitre (m)	referee
le carton jaune, rouge	yellow, red card
le but	goal
le ballon	ball (inflated)
la balle	ball (small)
le concours	competition
la coupe	cup
la course	race
le dopage	drugs in sport
l'étape (f)	stage (of race)
l'entraîneur (m)	trainer
le gardien/le goal	goalkeeper
le jeu	game
la médaille	medal
le maillot	jersey
la piscine	swimming pool
le terrain	field, pitch, court
le résultat	result
le stade	stadium
sportif	sporty
le spectateur	spectator
le tournoi	tournament
le titre	title
la victoire	victory

* * *

collectionner	to collect
faire	to make, to do
aller	to go
jouer	to play
lire	to read
regarder	to watch
écouter	to listen

danser	to dance
chanter	to sing
voyager	to travel
faire du tourisme	to go sightseeing
visiter	to visit
tricoter	to knit
coudre	to sew
jardiner / faire du jardinage	to do gardening
cuisiner / faire de la cuisine	to cook
bricoler	to do odd jobs around the house
s'intéresser à	to be interested in
Je m'intéresse au cinéma.	I'm interested in cinema.
Ça m'intéresse.	I'm interested in it.

*   *   *

les loisirs (m)	leisure-time activities
le passe-temps	pastime
le centre d'intérêt	interest
le lèche-vitrine	window-shopping
la lecture	reading
– un roman	novel
– un magazine	magazine
– un journal	newspaper
– une biographie	biography
– une autobiographie	autobiography
la musique	music
la danse	dancing
le cinéma	cinema
le film	film
– un film romantique	romantic film
– un film comique	comedy film
– un film d'horreur / d'épouvante	horror film
– un film de suspense	suspense film
– un film d'action	action film
– un film documentaire	documentary film
– un film historique	historic film
– un film basé sur une histoire vraie	film based on a true story
les voyages	travel
le bricolage	odd jobs, DIY
la cuisine	cooking
le jardinage	gardening
les dames	draughts
les échecs	chess
le jeu	game

le jeu de société	board game
les cartes (f)	cards
l'ordinateur (m)	computer
l'internet (m)	the Internet

UNITÉ 5 – LE TRANSPORT

l'autoroute (f)	motorway
le bouchon / l'embouteillage (m)	traffic jam
le billet	ticket
le tarif	price

*   *   *

la voiture / l'auto (f)	car
l'avion (m)	plane
le vélo	bike
la moto	motorbike
la mob(ylette)	moped
le scooter	scooter
le bateau	boat
le ferry	ferry
le car	coach
l'autobus (m)	bus
le train	train
le TGV	high-speed train
le camion	truck/lorry
la camionnette	van
l'aéroglisseur (m)	hovercraft
le poids lourd	large truck
le métro	underground
le navire	ship

*   *   *

la circulation	traffic
le piéton	pedestrian
à pied	on foot
stationner / garer	to park
conduire	to drive
le conducteur	driver
le permis de conduire	driving licence
le panneau	road sign
le carrefour	crossroads
doubler	to overtake
l'essence (f)	petrol

les feux (m)	traffic lights
freiner	to brake
l'heure de pointe (f)	rush hour
le pneu	tyre
le volant	steering wheel
le coffre	boot
le siège	seat
la vitesse	speed
le virage	bend

*   *   *

l'aéroport (m)	airport
l'appareil (m)	aircraft
décoller	to take off (plane)
atterrir	to land
le chemin de fer	railway
la gare	station
le sens	direction

UNITÉ 6 – LA SANTÉ

la maladie	illness, disease
malade	sick
l'infection (f)	infection
souffrant	unwell, indisposed
le médicament	medication, medicine
le comprimé / le cachet	tablet
la pillule	the (contraceptive) pill
la médecine	medicine (the subject)
le médecin	doctor
un infirmier / une infirmière	nurse
l'ordonnance (f)	prescription

*   *   *

le rhume	headcold
la grippe	flu
avoir mal à la tête	to have a headache
avoir mal à la gorge	to have a sore throat
avoir mal aux dents	to have a toothache
avoir mal au cœur	to feel sick
la fièvre	fever, temperature
le SIDA	AIDS
le sang	blood
le cancer	cancer

le stress	stress
l'alcoolisme (m)	alcoholism
alcoolique	alcoholic
la grossesse	pregnancy
enceinte	pregnant
tomber enceinte	to get pregnant
le bébé éprouvette	test-tube baby
l'IVG (interruption volontaire de grossesse)/	abortion
l'avortement (m)	
se faire avorter	to have an abortion
la déprime	depression
le cœur	heart
cardiaque	cardiac, heart
le poumon	lung
pulmonaire	pulmonary, lung
une opération chirurgicale	operation
le chirurgien	surgeon
subir	to undergo
se casser le . . .	to break your . . .
se blesser le . . .	to hurt your . . .
se fouler le . . .	to twist your . . .
– le bras	arm
– la main	hand
– le genou	knee
– le pied	foot
– la jambe	leg
– la cheville	ankle
– le nez	nose
– le doigt	finger
l'anorexie	anorexia
la boulimie	boulimia
le régime	diet
en régime	on a diet
la ligne	figure
l'obésité (f)	obesity
obèse	obese
garder la ligne	to watch your figure
grossir	to put on weight
maigrir	to lose weight

*   *   *

la drogue	drug/s
le stupéfiant	drug, narcotic
se droguer	to take drugs
une seringue	syringe
le/la drogué(e)	drug addict

le / la toxicomane	drug addict
un / une héroïnomane	heroin addict
les drogues douces	soft drugs
les drogues dures	hard drugs
dépénaliser	to legalise
la dépénalisation	legalisation
l'ecstasy	Ecstasy
le haschisch	hashish
l'héroïne (f)	heroin
la cocaïne	cocaine
la méthadone	methadone
le cannabis	cannabis
fumer	to smoke
la fumée	smoke
le fumeur	smoker
le tabac	tobacco
le tabagisme	smoking
la cigarette	cigarette
le paquet de cigarettes	packet of cigarettes
le cigare	cigar
la pipe	pipe
nuisible	harmful
le portable	mobile (phone)

UNITÉ 7 – LES VACANCES ET LES VOYAGES

rester	to stay
partir en vacances	to go on holiday
voyager	to travel
faire un séjour	to stay (for a time)
se déplacer	to travel (in a vehicle)
prendre	to take
aller	to go
rouler	to travel (in a vehicle)
passer	to spend (time)
bronzer	to tan
louer	to rent, hire
rentrer	to return home
se reposer	to rest
faire du camping	to go camping
voler	to fly

*   *   *

à l'étranger	abroad
à la plage	to the beach

en montagne	to the mountains
au bord de la mer	by the seaside
à la campagne	in/to the country
la côte	coast
le pays	country
le paysage	landscape
à pied	on foot
la station balnéaire	holiday resort
la chambre d'hôte	B&B
le gîte	rented holiday home
le camping	campsite
la tente	tent
l'emplacement (m)	pitch (for a tent)
un/une estivant/e	summer holiday maker
le vacancier	holiday maker
la foule/du monde	crowd
l'agence de voyages (f)	travel agency
la carte	(country) map
le plan	(city) map
emmener	to bring

UNITÉ 8 – LES RAPPORTS

la personne	person
l'individu (m)	individual
l'être humain (m)	human being
le bébé	baby
un/une enfant	child
le teenager	teenager
un/une adolescent/e	adolescent
le jeune	young person
un/une adulte	adult
l'ami	friend (m)
l'amie	friend(f)
le copain	pal (m)
la copine	pal (f)
le petit copain	boyfriend
la petite copine	girlfriend
le petit ami	boyfriend
la petite amie	girlfriend
le fiancé	fiancé
la fiancée	fiancée

* * *

la taille	height, size
le poids	weight
le caractère	character
la personnalité	personality
le défaut	fault
l'atout (m)	good point
le sentiment	feeling
l'amour (m)	love
le cœur	heart
le comportement	behaviour
l'amitié (f)	friendship
la haine	hatred

* * *

naître	to be born
grandir	to grow up
mourir	to die
être	to be
avoir	to have
sentir	to feel
sortir (avec)	to go out (with)
aimer	to love
adorer	to adore
détester	to hate
mentir	to lie
être bien dans sa peau	to feel good about oneself
être mal dans sa peau	to feel unhappy in oneself
s'entendre avec	to get on with
discuter	to discuss
bavarder	to chat
s'embrasser	to kiss
se disputer	to argue
casser/rompre	to break up
quitter	to leave
maigrir	to lose weight
grossir	to put on weight

* * *

grand/e	big
petit/e	small
gros/se	fat
mince	slim
maigre	thin
bavard/e	chatty
sociable	sociable

extraverti / e	extrovert
introverti / e	introvert
timide	shy
fort / e	strong
faible	weak
généreux / euse	generous
sérieux / euse	serious
studieux / euse	studious
paresseux / euse	lazy
amoureux / euse	in love
chaleureux / euse	warm
froid / e	cold
heureux / euse	happy/fortunate
malheureux / euse	unhappy/unfortunate
égoïste	selfish
actif / ve	active
sympathique / sympa	nice, friendly
gentil / le	nice
méchant / e	unpleasant, nasty
marrant / e	funny
sincère	sincere
indépendant / e	independent
sensible	sensitive
indifférent / e	indifferent
romantique	romantic
doux / ce	gentle
déprimé / e	depressed
intelligent / e	intelligent
stupide	stupid
beau / belle	good-looking
jolie	pretty
mignon / ne	cute, good-looking
laid / e	ugly
arrogant / e	arrogant
fidèle	loyal
ponctuel / le	punctual
tardif / ve	arrives late
possessif / ve	possessive
sentimental / e	sentimental
persévérant / e	persevering
obstiné / e	obstinate
spontané / e	spontaneous
énervant / e	annoying

UNITÉ 9 – LES MÉTIERS ET L'ARGENT

le travail	work
le boulot (fam)	work
le petit boulot	part-time job (e.g. baby-sitting)
le temps partagé	job-sharing
le job d'été	summer job
la profession	profession
le métier	occupation
l'emploi (m)	employment/job
un/une employé/e	employee
l'employeur	employer
un ouvrier/une ouvrière	worker (usually in a factory)
le fonctionnaire	civil servant
le collègue	colleague
le gérant/la gérante	manager
le/la responsable	manager
le patron	boss
un/une informaticien/ne	computer programmer
le cadre	the executive
le PDG	managing director
le syndicat	trade union
la grève	strike
le salaire	salary
la paye/paie	pay
la journée du travail	the working day
la semaine des 35 heures	the 35-hour week
le chômage	unemployment
le chômeur	unemployed person
au chômage	unemployed
le taux de chômage	the unemployment rate
l'allocation chômage (f)	unemployment benefit

*   *   *

travailler	to work
bosser (fam)	to work
chercher du travail	to look for work
trouver du travail	to find work
être promu/e	to be promoted
avoir une promotion	to get a promotion
être muté/e	to be transferred
être embauché/e	to be taken on
être licencié/e	to be fired
poser sa candidature	to apply
payer	to pay

gagner / toucher	to earn
gagner sa vie	to earn one's living
augmenter	to increase
baisser	to decrease

*   *   *

l'entreprise (f)	business, company
la société	Society
le bureau	office
l'agence (f)	agency
l'ANPE (L'Agence Nationale Pour l'Emploi)	National Employment Agency
le Ministère du Travail	the Department of Labour
l'entrepôt (m)	warehouse
la succursale	branch
le siège social	headquarters
l'usine (f)	factory

*   *   *

un / une artisan / e	tradesman
le professeur	teacher
un / une enseignant / e	teacher
l'instituteur / l'institutrice	primary school teacher
le vendeur / la vendeuse	salesperson
l'ingénieur (m)	engineer
le coiffeur / la coiffeuse	hairdresser
le / la styliste	designer
le médecin	doctor
l'infirmier / l'infirmière	nurse
le pharmacien / la pharmacienne	chemist
le fermier / la fermière	farmer
l'agriculteur (m)	farmer
le viticulteur	wine-grower
le dentiste	dentist
un / une architecte	architect
le photographe	photographer
la secrétaire	secretary
l'agent immobilier	estate agent
le camionneur	truck driver
le chauffeur de taxi	taxi driver
le conducteur d'autobus	bus driver
le bâtisseur	builder
l'employé / e de bureau	office worker
l'ouvrier / l'ouvrière	factory worker

le pompier	fireman/woman
l'agent de police (m)	policeman/woman
le serveur/la serveuse	waiter/waitress
le comptable	accountant

* * *

l'argent (m)	money
l'argent de poche	pocket money
le fric (slang)	money
la finance	finance
le billet	note
la pièce	coin
l'euro	euro
le centime d'euro	cent
l'argent liquide	cash
la monnaie	change
le chéquier	cheque book
le chèque	cheque
toucher un chèque	to cash a cheque
la banque	bank
la Banque de France	the Bank of France
la BNP	La Banque Nationale de Paris
la caisse d'épargne	savings bank
le compte bancaire	bank account
la carte bancaire	bank card
la carte bleue	credit card
le portefeuille	wallet
le porte-monnaie	purse
la dette	debt
le don	donation
la Bourse	the Stock Exchange
la bourse	grant, scholarship
le FMI (le Fonds Monétaire International)	the IMF (International Monetary Fund)

* * *

gagner	to earn/to win
perdre	to lose
payer	to pay
parier	to bet
dépenser	to spend
épargner	to save
économiser	to economise, to save
prêter	to lend

le prêt	loan
emprunter	to borrow
rembourser	to reimburse, to pay back
financier / ère	financial
rich / e	rich
pauvre	poor
défavorisé / e	disadvantaged

UNITÉ 10 – LA PLANÈTE

le temps	weather
la météo	weather forecast
il fait . . .	the weather is . . .
— *beau*	fine
— *chaud*	hot
— *doux*	mild
— *froid*	cold
— *frais*	cool, chilly
— *mauvais*	awful
pleuvoir	to rain
neiger	to snow
geler	to freeze
s'améliorer	to improve
se détériorer	to disimprove
briller	to shine

*   *   *

le vent	wind
le brouillard	fog
la bruine	drizzle
la brume	mist
la grêle	hail
le verglas	black ice
la neige	snow
la pluie	rain
l'averse (f)	shower
la neige fondue	sleet
le nuage	cloud
le soleil	sun
la chaleur	heat
le froid	cold
la gelée blanche	frost
à l'ombre	in the shade
l'orage (m)	storm (i.e. thunder, lightning)
la tempête	storm (i.e. wind, rain, etc.)
le tonnerre	thunder

l'éclair (m)	flash of lightning
l'éclaircie (f)	sunny spell
la température	temperature
le mistral	wind which blows down the Rhône valley
couvert	overcast
ensoleillé	sunny
maussade	gloomy

* * *

la catastrophe	catastrophe
le sinistre	disaster, catastrophe
l'ouragan (m)	hurricane
la tornade	tornado
le typhon	typhoon
la mousson	monsoon
l'inondation (f)	flood
le tremblement de terre / le séisme	earthquake
l'échelle de Richter	the Richter scale
l'éruption (f)	eruption
l'incendie (m)	fire
le naufrage	shipwreck
l'explosion (f)	explosion
sinistré / e (adj)	affected by a disaster
un / une sinistré / e	disaster victim
la zone sinistrée	disaster zone
le convoi humanitaire	humanitarian convoy
la Croix Rouge	the Red Cross
Médecins sans Frontières	voluntary medical organisation which works in war-torn and disaster zones
l'aide (f)	aid
l'hôpital de fortune (m)	field hospital, temporary hospital
les hébergements de fortune (m)	temporary / makeshift shelters
les dégâts (m)	damage
le bilan	consequences, toll (amount of damage and number of dead and injured, etc.)

* * *

mort / e	dead
blessé / e	injured
disparu / e	disappeared, missing
rescapé / e	escaped, safe
un / une rescapé / e	survivor
enseveli / e sous les décombres	buried under the rubble

noyé/e	drowned
la victime	victim
sans abri	homeless
touché/e	affected
épargné/e	spared
sauvé/e	saved

* * *

le recyclage	recycling
recycler	to recycle
les déchets (m)	rubbish
la pollution	pollution
l'effet de serre (m)	the greenhouse effect
la couche d'ozone	the ozone layer

L'ÉPREUVE ORALE

(All information in this section is correct at the time of printing.)

A INTRODUCTION

Before you do the Listening Comprehension Test, you will have already done another very important part of your exam – the Oral. How you do in this exam will depend, to a large extent, on your listening skills because if you don't understand what the examiner is saying, you can't answer properly.

PREPARATION

It is important to prepare well for the oral exam. Examiners are surprised, year after year, to come across candidates who appear unfamiliar with simple questioning words such as 'Quand', 'Qui', 'Pourquoi', 'Comment', etc. and who can't respond to simple requests such as 'Décrivez votre chambre' or 'Quel est votre plat préféré ?'. Some candidates think that such basic questions won't be asked. In fact, the majority of questions are about you, your family, friends, home, pastimes, school, holidays, plans for the future, etc. So make sure that you know this sort of material well, and don't find yourself stuck for basic vocabulary which you covered for the Junior Certificate. You will find useful preparation exercises on the following pages.

OPTIONS

It is a good idea to take up one of the options for the Oral and bring a 'document' or 'projet' with you. You may, if you prefer, simply talk for the whole of the time allotted, but thirteen or fourteen minutes can seem like a long time! It's good to have something with you which you have prepared, and examiners usually find it interesting, too. Although you prepare the picture, project or written extract in advance, there is no way of knowing what the examiner will ask you about it or how long he/she will spend on it. But prepare it from as many angles as you can, and when you are talking about it, try to sound as natural as possible. If you are choosing a picture of some sort, choose something which genuinely interests you, because you'll find it easier to talk about it. If you choose, for example, a picture reflecting a topical issue, such as unemployment, don't learn off a passage on unemployment which you simply regurgitate. Examiners are instructed to interrupt long, obviously learned-off passages. He/She wants to have a conversation with you, to see what you really think, to hear your opinions, not sit there while you recite what you have learned off. Of course you must be well prepared, but if you have learned things off in the course of this preparation, put them across in a natural way.

When deciding what sort of document to bring in with you, think about your life very carefully.

• Is there anything unusual or particularly interesting about you, a member of your family, or something you do?
• Have you lived abroad?
• Do you have an unusual interest?
• Do you have a parent of a different nationality?
• Have you visited a particularly interesting place here or abroad?

Whatever you decide to bring in with you, choose it in plenty of time to prepare it well.

Here is a list of ideas for the type of thing you might consider bringing into the exam:

1. A newspaper/magazine cutting of
   • a film scene or character
   • a famous person, modern or historical
   • a character from a TV series
   • a singer/group
   • a sports personality/team/match
   • a photo of an issue which interests you
2. A photo of
   • your family/a family member
   • a holiday you had

- your house/your area/your room
- a school activity (e.g. something you did in Transition Year or a trip you went on)
- a friend
- an unusual pet

3. A postcard from a holiday at home or abroad
4. A drawing/painting done by you (small, manageable size)
5. A photocopy or postcard of a work of art you like (or hate)
6. A picture reflecting a current issue:
   - famine
   - war
   - homelessness
   - pollution
7. A poem which you particularly like
8. An excerpt from a French language novel, biography or short story you have read
9. An article from a French language newspaper or magazine
10. An advertisement you find interesting

These are only suggestions. There are many more ideas which would make acceptable, interesting choices.

Note:
- There are no separate marks allotted to the document. What you have to say will be marked as part of your overall performance.
- There should be no English on the document.
- You may *not* bring in an object of any sort. So, for example, if you decided to bring in a painting, it would not be acceptable to bring it in in a frame. A way around this is to take a photo of an object, e.g. a piece of clothing you designed and made, a piece of sculpture or pottery, or a large painting you did.

BODY LANGUAGE

Difficult as this may seem, you should try very hard to look upon this part of the French exam as a chat. The more relaxed you are, the better you will do. Don't get wound up before you go in, especially by other candidates who come out with stories which always start with 'She asked me if I . . .'. Don't listen!! Not all candidates are asked the same questions, and anyway, you don't know if that was in fact what was asked.

During the interview, don't stare into space or at your feet or hands, reciting what you've prepared. Look the examiner in the eye and talk to him/her. If you don't understand a question, ask for it to be repeated. It is better to be sure than to take the chance and risk losing marks for misunderstanding the question.

B SECTION PHONÉTIQUE

Phonetics is the science of sounds. Learning how to pronounce letters and combinations of letters correctly will improve your pronunciation and accent and therefore others' comprehension of what you are saying. Here we have considerably simplified this complicated area for you.

LES VOYELLES

1.	**a:**	ba**g**ue, ciném**a**, **pa**pa, **ma**, **la**, **ma**telas, r**a**dio, p**a**ge
2.	**i:**	**i**l, l**i**t, am**i**, r**i**z, **i**c**i**, m**i**di, tax**i**, lund**i**, jeud**i**, v**i**lle
	y:	t**y**pique, **gy**mnastique
3.	**u:**	r**u**e, t**u**, d**u**, l**u**, p**u**, b**u**, s**u**r, m**u**r, d**u**rent, habit**u**de, ridic**u**le, ven**u**, pl**u**s, **u**ne
		Note: Don't confuse this 'u' with 'ou'.
	ou:	r**ou**te, c**ou**le, t**ou**t, f**ou**le, s**ou**s, n**ou**s, b**ou**che, b**ou**teille
4.	**e:**	l**e**, t**e**, m**e**, s**e**, n**e**, c**e**la, donn**e**, j**e**
	œ:	**œ**il, **œ**uf, b**œ**uf, s**œ**ur
	eu:	les y**eu**x, je v**eu**x, il p**eu**t, un p**eu**, c**eu**x, j**eu**, danger**eu**x, h**eu**r**eu**x, fact**eu**r, le b**eu**rre, dix h**eu**res
5.	**o:**	d**o**s, n**o**s, v**o**s, p**o**rt, t**o**rt, j'ad**o**re
	eau:	chap**eau**, bat**eau**, l'**eau**, b**eau**x
	au:	ch**au**d, il f**au**t, **au**x, m**au**vais
6.	**é:**	**dé**ci**dé**, all**é**, **té**l**é**phon**é**, le th**é**, caf**é**, **é**l**é**phant
	er:	all**er**, donn**er**, rentr**er**
	es:	l**es**, m**es**, t**es**, d**es**
	et:	**et**, poul**et**, tick**et**, bill**et**, robin**et**
	ez:	sort**ez** !, ch**ez**, utilis**ez**

Now practise all the vowel sounds with these sentences.

1. Je ne sais pas, Papa !
2. J'ai rencontré cette dame dans la rue.
3. Tournez à gauche, prenez la rue de Paris, et c'est tout droit.
4. Elle ira au Canada pour ses vacances.
5. Martine, ne lisez pas si vite.
6. La famille de son mari vit en Italie.
7. Elle a les joues rouges.
8. Voilà des fleurs pour ta sœur.
9. Elle pleure parce qu'elle est malheureuse.
10. Un peu d'eau chaude, s'il vous plaît.

LES VOYELLES NASALES

1. **in:** v**in**, f**in**, mat**in**, jard**in**, **in**quiet, v**in**gt, médec**in**
   ain: le tr**ain**, la m**ain**, s**ain**, dem**ain**, b**ain**, améric**ain**
   ein: pl**ein**, t**ein**t, elle p**ein**t
   aim: la f**aim**

   Note:
   (a) If '**in**' or '**im**' is followed by another vowel or another '**n**' or '**m**', its sound changes.
   Examples: **ini**tiative, **ini**tiation, **ina**bordable, **imi**tation, **inno**vation
   (b) **-aine**, **-eine** are very different sounds to **-ain**, **-ein**.
   Examples: améric**aine**, v**eine**, s**aine**, cert**aine**

   Practise these masculine and feminine adjectives:
   améric**ain**   –   améric**aine**
   cert**ain**   –   cert**aine**
   cous**in**   –   cous**ine**
   f**in**   –   f**ine**
   pl**ein**   –   pl**eine**
                                                      ➜

2. **an:** dix **an**s, bil**an**, av**an**cez, d**an**s, m**an**teau, fr**an**çais, bl**an**c
   en: v**en**t, d**en**t, l**en**t, **en**, ça dép**en**d
   am: ch**am**bre
   em: ens**em**ble, nov**em**bre, déc**em**bre, le t**em**ps

3. **on:** b**on**, m**on**, t**on**, s**on**, b**on**b**on**, b**on**jour, le m**on**de, attenti**on**, la natati**on**, m**on**te
   om: t**om**ber, c**om**bien

Practise these nasal vowels with these sentences.

1. Le matin il prend un bain.
2. Simon pense à ses vacances à Avignon.
3. Il n'y avait pas grand monde.
4. Mes copains sont des Américains.
5. Ma copine est américaine.
6. Le musicien est français.
7. La musicienne est canadienne.
8. C'est un bon client.
9. Il tient l'enfant par la main.
10. C'est un bon vin blanc.

LES CONSONNES

Consonants have different sounds depending on where they occur in a word or a sentence.

1. **r:** **r**éveillez, te**rr**ible, la g**r**ammai**r**e, d**r**amatique, un ca**r**, la voitu**r**e

2. **l:** **L**i**ll**e, be**ll**e, tranqui**ll**e, **l**e ba**l**, ma**l**, mi**ll**e, vi**ll**e, but: le fi**l**s, la fi**ll**e, fusi**l**, genti**l**, fami**ll**e

3. **s:** Double 's' and 's' at the start of a word give an 's' sound, but one 's' followed by a vowel gives a 'z' sound:

poi**s**on – poi**ss**on

cou**s**in – cou**ss**in

il**s** aiment – il**s s**'aiment

le dé**s**ert – le de**ss**ert

nou**s** avons – nou**s s**avons

4. **c:** followed by a, o, u: **ca**bane, **co**u, **cu**isine, Ma**co**n

followed by i, e: i**ci**, **ce**, **ce**nt, pla**ce**

with a cedilla: **ç**a, ma**ç**on, gar**ç**on

followed by h: **ch**ez, **ch**er**ch**er, **ch**eval, a**ch**eter

5. **p:** **p**eine, **p**atte, **P**âques

t: **t**out, **t**an**t**e, le **t**hé

6. **d:** **d**in**d**e, **d**entiste, **d**ame, **d**evenez

but 't' in a liaison: Quan**d** il arrive. Quan**d** elle va.

7. **f, v:** **f**ou, **v**ous, **f**ont, **v**ont, **f**aut, **v**eau, veu**f**, veu**v**e, neu**f**, neu**v**e, vi**f**, **v**i**v**e

8. **g:** before e, i: **g**entil, a**g**ir, les **g**ens, a**g**ent

before a,o,u: **g**ant, **g**are, **gu**erre, **go**rge, **Gu**y

followed by n: ga**gn**er, i**gn**orant, vi**gn**e, Espa**gn**e, Allema**gn**e

9. **h:** is silent: **h**ôtel, **h**istoire, **h**omme

10. **j:** is not like English 'j': **j**uge, **J**ean, **j**oli, **j**us, **j**e, **j**our

11. **b:** is a 'p' sound with 'abs', 'obs', 'obt', 'subs', 'subt': **ob**server, **ab**strait, **subt**il

12. **q:** is always followed by 'u' which is rarely pronounced: **qu**e, **qu**i, **qu**and, **qu**oi

Now practise consonants with these sentences.

> **1.** Pourquoi donner un pourboire ?
> **2.** Cet orchestre est terrible.
> **3.** Elle aime lire les illustrés.
> **4.** Les enfants les ont vus à deux heures.
> **5.** Il y a tant de gens dans les champs.
> **6.** Le pauvre Pierre a perdu son passeport à Pantin.
> **7.** Vous êtes malade parce que vous n'êtes pas assez active.
> **8.** En juin les gens peuvent aller dans les gîtes.
> **9.** Le soleil brille tous les matins quand elle se réveille.
> **10.** L'homme est allé à l'hôtel à onze heures.

LA LIAISON

Liaison means joining two letters together from two different words. For example, in 'nous avons', the final consonant 's' of 'nous' 'moves into' the second word because it begins with a vowel.

Examples:

no**s** amis	le**s** yeux
il**s** arrivent	leur**s** amis
de**s** enfants	vou**s** avez
peti**t** ami	deu**x** heures
mo**n** ami	di**x** heures
ce**t** été	ving**t** ans
ave**c** eux	un gran**d** homme
il est	so**n** enfant
u**n** élève	

There is no liaison in the following cases:

1. With 'et': **et encore**
2. With 'oui': **mais oui**
3. With numbers beginning with a vowel: **les onze garçons**
4. With proper nouns: **Paris est joli.**
5. Before some words beginning with 'h': **les haricots**, **les hamsters**

Now practise the liaison with the following sentences.

1. Il est français.
2. Nous sommes allés avec une amie.
3. Ton appartement est génial !
4. Elle est en Italie.
5. Ils aiment les enfants, mais pas chez eux.
6. Chez elle ? Ils y vont tous les jours !
7. Et alors ? Vous y allez ?
8. Mais oui, Madame, si je dis oui, c'est oui !
9. C'est à moi, ça !
10. Allez-y, mes amis.

C

One of the most common mistakes made by candidates during the oral exam is using the wrong form of the verb when answering a question in the present tense. (Remember, the majority of the questions in the oral exam will refer to the present tense.)

EXAMPLE:

Examiner: **Vous jouez** au tennis?

Candidate: Oui, **je jouez** au tennis le weekend.

(Instead of 'Oui, **je joue** au tennis . . .')

How do you eradicate this sort of mistake? Basically by knowing the 'je' form of the most useful verbs really well. The following exercise can be very helpful, if you do it frequently. It is on the student recording, so you can practise using the correct form at home.

Vous avez . . . ?	(Oui), j'ai . . .	(Non), je n'ai pas . . .
Vous êtes . . .?	(Oui), je suis . . .	(Non), je ne suis pas . . .
Vous allez . . .?	(Oui), je vais . . .	(Non), je ne vais pas . . .
Vous aimez . . .?	(Oui), j'aime . . .	(Non), je n'aime pas . . .
Vous prenez . . .?	(Oui), je prends . . .	(Non), je ne prends pas . . .
Vous buvez . . .?	(Oui), je bois . . .	(Non), je ne bois pas . . .

→

Vous fumez . . .?	(Oui), je fume . . .	(Non), je ne fume pas . . .
Vous connaissez . . .?	(Oui), je connais . . .	(Non), je ne connais pas . . .
Vous voulez . . .?	(Oui), je veux . . .	(Non), je ne veux pas . . .
Vous savez . . .?	(Oui), je sais . . .	(Non), je ne sais pas . . .
Vous sortez . . .?	(Oui), je sors . . .	(Non), je ne sors pas . . .
Vous achetez . . .?	(Oui), j'achète . . .	(Non), je n'achète pas . . .
Vous jouez . . .?	(Oui), je joue . . .	(Non), je ne joue pas . . .
Vous partez . . .?	(Oui), je pars . . .	(Non), je ne pars pas . . .
Vous arrivez . . .?	(Oui), j'arrive . . .	(Non), je n'arrive pas . . .
Vous travaillez . . .?	(Oui), je travaille . . .	(Non), je ne travaille pas . . .
Vous regardez . . .?	(Oui), je regarde . . .	(Non), je ne regarde pas . . .
Vous étudiez . . .?	(Oui), j'étudie . . .	(Non), je n'étudie pas . . .
Vous habitez . . .?	(Oui), j'habite . . .	(Non), je n'habite pas . . .
Vous venez . . .?	(Oui), je viens . . .	(Non), je ne viens pas . . .
Vous devez . . .?	(Oui), je dois . . .	(Non), je ne dois pas . . .
Vous préférez . . .?	(Oui), je préfère . . .	
Vous recevez . . .?	(Oui), je reçois . . .	(Non), je ne reçois pas . . .
Vous finissez . . .?	(Oui), je finis . . .	(Non), je ne finis pas . . .
Vous pouvez . . .?	(Oui), je peux . . .	(Non), je ne peux pas . . .
Vous suivez . . .?	(Oui), je suis . . .	(Non), je ne suis pas . . .
Vous lisez . . .?	(Oui), je lis . . .	(Non), je ne lis pas . . .
Vous croyez . . .?	(Oui), je crois . . .	(Non), je ne crois pas . . .
Vous pensez . . .?	(Oui), je pense . . .	(Non), je ne pense pas . . .
Vous déjeunez . . .?	(Oui), je déjeune . . .	(Non), je ne déjeune pas . . .
Vous dînez . . .?	(Oui), je dîne . . .	(Non), je ne dîne pas . . .
Vous espérez . . .?	(Oui), j'espère . . .	
Vous conduisez . . .?	(Oui), je conduis . . .	(Non), je ne conduis pas . . .
Vous aidez . . .?	(Oui), j'aide . . .	(Non), je n'aide pas . . .
Vous comprenez . . .?	(Oui), je comprends . . .	(Non), je ne comprends pas . . .
Vous faites . . .?	(Oui), je fais . . .	(Non), je ne fais pas . . .
Vous vous levez . . .?	(Oui), je me lève . . .	(Non), je ne me lève pas . . .
Vous vous couchez . . .?	(Oui), je me couche . . .	(Non), je ne me couche pas . . .
Vous vous appelez . . .?	(Oui), je m'appelle . . .	(Non), je ne m'appelle pas . . .

Remember:

1. You shouldn't always reply with the verb as it may at times sound artificial to do so. For example, if you are asked 'Vous allez souvent au cinéma ?', a natural reply would be something like 'Non, pas vraiment'.

2. Be careful with the word 'faire'. Very often you will use a different verb when replying.
   EXAMPLE:
   Examiner: Qu'est-ce vous que **faites** le vendredi soir ?
   Candidate: D'habitude, je **vais** au cinéma avec des copains.

3. The first three verbs in the above list are particularly helpful as they are also used in some tenses other than the present.
   The first two, 'avoir' and 'être', are used to make the **passé composé**.
   EXAMPLE:
   Vous **avez** vu . . . ? Oui, j'**ai** vu . . .   Non, je n'**ai** pas vu . . .
   Vous **êtes** allé . . . ? Oui, je **suis** allé . . .   Non, je ne **suis** pas allé . . .

   The third, 'aller', is used to make the **futur proche**.
   EXAMPLE:
   Vous **allez** passer . . . Oui, je **vais** passer . . .   Non, je ne **vais** pas
                                                        passer . . .
   In the case of all three verbs, once you know the response to the first two words, you simply repeat the third as you hear it.

D

The following is a list of commonly used verbs in the oral exam. They are given in the three main tenses you will need: (a) the **passé composé** for talking about what you did, (b) the **présent** for what you do or are doing, (c) the **futur proche** for what you are going to do.

PASSÉ COMPOSÉ	PRÉSENT	FUTUR PROCHE
Aujourd'hui, hier, ce matin, le weekend dernier, l'été dernier, samedi, la semaine dernière, l'année dernière, etc.	*Aujourd'hui, tous les jours, tous les matins, le lundi, le weekend, quand j'ai le temps, après l'école, cette année, etc.*	*Aujourd'hui, demain, ce soir, ce weekend, après mes examens, la semaine prochaine, l'année prochaine, etc.*
J'ai pris	Je prends	Je vais prendre
(Je n'ai pas pris)	(Je ne prends pas)	(Je ne vais pas prendre)
J'ai acheté	J'achète	Je vais acheter
J'ai joué	Je joue	Je vais jouer
J'ai travaillé	Je travaille	Je vais travailler
J'ai étudié	J'étudie	Je vais étudier
J'ai reçu	Je reçois	Je vais recevoir
J'ai vu	Je vois	Je vais voir
J'ai fini	Je finis	Je vais finir
J'ai lu	Je lis	Je vais lire
J'ai déjeuné	Je déjeune	Je vais déjeuner
J'ai dîné	Je dîne	Je vais dîner
J'ai conduit	Je conduis	Je vais conduire
J'ai aidé	J'aide	Je vais aider
J'ai fait	Je fais	Je vais faire
J'ai dormi	Je dors	Je vais dormir
J'ai regardé	Je regarde	Je vais regarder
J'ai bu	Je bois	Je vais boire
Je suis sorti/e	Je sors	Je vais sortir
(Je ne suis pas sorti/e)	(Je ne sors pas)	(Je ne vais pas sortir)
Je suis allé/e	Je vais	Je vais aller
Je suis parti/e	Je pars	Je vais partir
Je suis rentré/e	Je rentre	Je vais rentrer
Je suis resté/e	Je reste	Je vais rester
Je suis venu/e	Je viens	Je vais venir
Je me suis levé/e	Je me lève	Je vais me lever
(Je ne me suis pas levé/e)	(Je ne me lève pas)	(Je ne vais pas me lever)
Je me suis couché/e	Je me couche	Je vais me coucher
Je me suis reposé/e	Je me repose	Je vais me reposer
Je me suis baigné/e	Je me baigne	Je vais me baigner

You will also need to be able to say a couple of things in the conditional.

EXAMPLE:

Examiner: Que feriez-vous si vous gagniez beaucoup d'argent ?

Candidate: Je **ferais** beaucoup de choses. J'**irais** en Australie en vacances, je **donnerais** de l'argent à Concern, et j'**achèterais** des cadeaux pour tous mes amis.

If you find the conditional hard to remember, you could answer like this: 'J'**aimerais** aller en Australie, donner de l'argent à Concern, et acheter des cadeaux pour tous mes amis.'

E

Before going into the exam, you should also be aware of the different ways questions can be asked. Here is a list of the main types of question.

1. **Vous connaissez** la France ?	**Do you know** France?
2. **Est-ce que vous connaissez** la France ?	**Do you know** France?
3. **Avez-vous** un chien ?	**Have you/Do you have** a dog?
4. **Que** faites-vous pour aider à la maison ?	**What** do you do to help at home?
5. **Où** allez-vous en vacances d'habitude ?	**Where** do you usually go on holidays?
6. **Pourquoi** n'aimez-vous pas ça ?	**Why** don't you like it?
7. **Qui** fait la cuisine chez vous ?	**Who** does the cooking in your house?
8. **Comment** venez-vous à l'école le matin ?	**How** do you get to school in the mornings?
9. **Quand** est-ce que vous avez commencé à jouer au foot ?	**When** did you start playing football?
10. **Quelle** est votre matière préférée ?	**What** is your favourite subject?
11. **Qu'est-ce que** vous aimez regarder à la télé ?	**What** do you like watching on TV?
12. **Combien** gagnez-vous ?	**How much** do you earn?

Next, be sure whether you are being asked about the present, the past or the future.

1. **Vous avez vu** le film *The Truman Show* ?   **Did you see** . . .?

2. Qu'est-ce que **vous allez faire** ce weekend ?   What **are you going to** . . .?

3. Quelle **est** votre matière préférée ?   What **is** . . .?

4. Qu'est-ce que **vous avez fait** dimanche dernier ?   What **did you do** . . .?

5. Vous **allez sortir** vendredi prochain ?   Are you **going to** . . .?

6. Que **ferez-vous** après vos examens ?   What **will you do** . . .?

7. Quand est-ce que **vous aurez** vos résultats ?   When **will you have** . . .?

Listen for other clues in a question. For example, 'le samedi' means 'on Saturdays', and 'samedi' means 'on Saturday', which helps you to recognise the tense of the following questions.

1. Qu'est-ce que **vous avez fait** samedi ?   What **did you do** on Saturday?

2. Qu'est-ce que **vous faites** le samedi ?   What **do you do** on Saturdays?

3. Qu'est-ce que **vous allez faire** samedi ?   What **are you going to do** on Saturday ?

Listen also for easy clues like 'prochain/prochaine' or 'dernier/dernière'.

One of the most difficult distinctions to make is between the **futur proche** and the **passé composé** of 'er' verbs.

FUTUR PROCHE	PASSÉ COMPOSÉ
1. Où **allez-vous passer** vos vacances ?	Où **avez-vous passé** vos vacances ?
2. Vous **allez travailler** pendant les vacances ?	Vous **avez travaillé** pendant les vacances ?
3. Vous **allez regarder** la télé ?	Vous **avez regardé** la télé ?
4. Vous **allez déjeuner** à la cantine ?	Vous **avez déjeuné** à la cantine ?
5. Vous **allez dîner** en ville ?	Vous **avez dîné** en ville ?
6. Vous **allez jouer** au foot ?	Vous **avez joué** au foot ?
7. Comment **allez-vous passer** votre temps ?	Comment **avez-vous passé** votre temps ?

Another extremely common and very serious mistake is not being able to distinguish between the **présent** and the **passé composé** of verbs which make their **passé composé** with 'être'.

PASSÉ COMPOSÉ	PRÉSENT
1. Vous **êtes allé** au cinéma samedi ?	Vous **allez** au cinéma samedi ?
2. Vous **êtes parti** à quelle heure ?	Vous **partez** à quelle heure ?
3. Vous **êtes sorti** avec des amis ?	Vous **sortez** avec des amis ?
4. Vous **êtes arrivé** avec Paul ?	Vous **arrivez** avec Paul ?
5. Vous **êtes rentré** après minuit ?	Vous **rentrez** après minuit ?

(a) Now listen to the recordings and tick the relevant boxes to indicate which question you are being asked.

1. (a) Are you going out on Friday night? ❏
   (b) Did you go out on Friday night? ❏

2. (a) Did you play football on Wednesday? ❏
   (b) Are you going to play football on Wednesday? ❏

3. (a) What are you going to buy? ❐
   (b) What did you buy? ❐

4. (a) Are you going to work during the holidays? ❐
   (b) Did you work during the holidays? ❐

5. (a) How are you going to spend the weekend? ❐
   (b) How did you spend the weekend? ❐

6. (a) What did you watch? ❐
   (b) What are you going to watch? ❐

7. (a) What time did you go out? ❐
   (b) What time are you going out? ❐

8. (a) Are you going into town on Saturday? ❐
   (b) Did you go into town on Saturday? ❐

9. (a) Did you stay? ❐
   (b) Are you going to stay? ❐

10. (a) How are you going to help? ❐
    (b) How did you help? ❐

(b) When you have completed the listening exercise, translate the above sentences into French.

F

It is very useful to build up a stock of general phrases for use during the exam. Many of the following phrases can be given as a short answer, but some are particularly useful as an introduction to an answer or as an ending.

EXAMPLE:

Examiner: Qu'est-ce que vous allez faire ce weekend?

Candidate: Je ne sais pas. Ça dépend. J'aimerais aller en ville samedi matin. Je verrai.

a bit, a little bit	*un peu*
a week ago	*il y a une semaine*
again	*encore*
already	*déjà*
as well, also	*aussi / également*
at the moment	*en ce moment / actuellement*
because	*parce que*
because of	*à cause de*
despite	*malgré / en dépit de*
during the week	*en semaine*
especially	*surtout*
even	*même*
except	*sauf*
extremely	*extrêmement*
first of all	*d'abord*
fortunately	*heureusement*
generally	*généralement*
I don't know.	*Je ne sais pas.*
I don't think so.	*Je ne crois pas.*
I find it . . .	*Je trouve ça . . .*
I hate it.	*Je déteste ça.*
I hope not.	*J'espère que non.*
I hope so.	*J'espère.*
I hope (that) . . .	*J'espère que . . .*
I know.	*Je sais.*
I know (that) . . .	*Je sais que . . .*
I love it.	*J'adore ça.*
I suppose (so).	*Je suppose.*
I suppose (that) . . .	*Je suppose que . . .*
I think	*Je pense / Je crois / Je trouve*
I think (that) . . .	*Je pense que . . . / Je crois que . . . / Je trouve que . . .*
I think so.	*Je crois (que oui).*
I went . . .	*Je suis allé/e . . .*
I'd like to . . .	*J'aimerais . . .*
I'll see.	*Je verrai.*

→

I'm going . . .	*Je vais . . .*
I'm not sure.	*Je ne suis pas sûr/e.*
if	*si*
in fact	*en fait*
in general	*en général*
in my opinion	*à mon avis*
in the evenings/mornings	*le soir/matin*
in two months	*dans deux mois*
It depends.	*Ça dépend.*
It was . . .	*C'était . . .*
It's . . .	*C'est . . .*
It's a good idea.	*C'est une bonne idée.*
last week	*la semaine dernière*
last year	*l'année dernière*
maybe	*peut-être*
maybe (that) . . .	*peut-être que . . .*
never	*jamais*
not exactly	*pas exactement*
not much	*pas beaucoup*
not really	*pas vraiment*
not very well	*pas très bien*
not yet	*pas encore*
now	*maintenant/actuellement*
now and then	*de temps en temps*
often	*souvent*
on Friday	*vendredi*
on Fridays	*le vendredi*
on the weekend, at weekends	*le weekend*
on TV	*à la télé*
quite	*assez*
really	*vraiment*
so (= therefore)	*donc/alors*
sometimes	*quelquefois*
That's right.	*C'est ça.*
then	*puis*
this week	*cette semaine*

→

this year	*cette année*
to/in France	*en France*
to/in Paris	*à Paris*
too (= to an excessive degree)	*trop*
too much . . .	*trop de . . .*
unfortunately	*malheureusement*
usually	*d'habitude*
very	*très*
very much, a lot	*beaucoup / énormément*
we should	*on devrait*
We'll see.	*On verra.*
when	*quand*
with	*avec*
without	*sans*

(a) To practise using some of the above, try to answer the following questions, just using vocabulary from the list, and 'Oui' and 'Non'.

1. Vous allez souvent à Dublin ?

   _____

2. Vous rentrez chez vous pour déjeuner en semaine ?

   _____

3. Avez-vous beaucoup de devoirs à faire le soir ?

   _____

4. Aimez-vous aller en ville ?

   _____

5. Vous parlez espagnol/gaélique/allemand ?

   _____

6. Vous allez aller à la fac l'année prochaine ?

   _____

7. Qu'est-ce que vous allez faire samedi soir ?

   _____

8. Est-ce que vous regardez beaucoup la télé en semaine ?

_____

9. Avez-vous un permis de conduire ?

_____

10. Est-ce que vous recevez de l'argent de poche ?

_____

(b) *How would you say the following in French? They are all combinations from the list.*

1. Except on Wednesdays.

_____

2. Especially on the weekend.

_____

3. It depends. I don't think so.

_____

4. Not much, unfortunately.

_____

5. Yes, I suppose so.

_____

6. We'll see – maybe.

_____

7. That's right.

_____

8. I'm not sure. I don't think so.

_____

9. Now and then but never on Saturdays.

_____

10. Even in France?

_____

11. Not yet. I don't think so.

_____

12. Yes, I hope so. It's a good idea.

_____

13. I hope so. I love it.

_____

14. I hope not. I hate it.

_____

G ÉPREUVE ORALE 1

Bonjour, madame.

Bonjour. Vous signez ici, s'il vous plaît.

Oui. . . . Voilà.

Merci. Avez-vous un document ?

Oui, j'ai un article de journal. Le voilà.

Merci, on en parlera plus tard. Alors, comment vous vous appelez ?

Je m'appelle David O'Reilly.

Vous avez quel âge, David ?

J'ai dix-huit ans. Mon anniversaire est le 6 janvier.

Où habitez-vous ?

J'habite à Athlone dans une maison dans un lotissement près de la ville.

Vous aimez votre ville ? Qu'y a-t-il à faire à Athlone ?

Oui, c'est pas mal, c'est une ville typiquement irlandaise. Il y a beaucoup de magasins et de pubs, il y a des stades pour le foot et des clubs de tennis et de golf.

Et qu'est-ce qu'il y a pour les jeunes ?

Il y a beaucoup de jeunes ici, et on va au pub ou en discothèque ou en boîtes de nuit. Et on peut faire beaucoup de sports aussi.

Parlez-moi de votre famille, David.

Oui, j'ai un frère et une sœur. Je suis l'aîné, et mon frère a seize ans, ma sœur a quatorze ans. Mon père travaille dans une usine ici qui fabrique des produits électroniques et ma mère reste à la maison . . . euh . . . mais elle travaille à temps partiel dans une boutique au centre-ville.

→

D'accord, et ici à l'école, quelles sont les matières que vous faites ?

Euh . . . je fais du français, de l'anglais, du gaélique, des maths, de la physique et de la biologie.

Quelle matière préférez-vous ?

Je préfère la biologie, parce que j'ai un très bon prof et puis je trouve cela intéressant comme matière.

Expliquez-moi un peu. Qu'est-ce qui vous intéresse dans la biologie ?

Eh bien, la science m'a toujours fasciné, la vie des plantes et des animaux, et j'ai toujours voulu savoir comment ça marche, la science et la vie.

Très bien, David. Avez-vous d'autres intérêts, des passe-temps ?

Oui, j'aime bien le sport, surtout le foot gaélique et le football. Je joue pour l'équipe de football ici à l'école, et je suis membre d'un club de foot gaélique ici à Athlone. Nous jouons des matchs contre les autres écoles et les clubs de la région. Je fais aussi un peu de tennis et beaucoup de bateau.

Ah oui, vous avez le Shannon ici à Athlone, n'est-ce pas ?

Oui, et il y a beaucoup de lacs dans la région. On fait du bateau en été, avec des copains et les parents, on nage beaucoup en été, beaucoup de sports aquatiques.

Et vous avez d'autres passe-temps, à part le sport ?

Oui, j'aime la musique, le cinéma, la télé . . . et . . . la lecture un peu. Je joue de la guitare aussi, et je suis membre d'un groupe avec trois copains.

Vous faites des concerts ?

Ah non, c'est pour s'amuser, le weekend, chez moi ou chez un copain, comme ça.

Bon. Alors, qu'est-ce que vous espérez faire après le Leaving Cert ?

Ben, ça je ne sais pas trop. Je voudrais aller en fac faire quelque chose de scientifique, mais je ne suis pas sûr. Peut-être en biologie ou en physique ou même en informatique. C'est plus facile de trouver du travail si on a un diplôme et le chômage a beaucoup baissé.

Vous voulez rester en Irlande ou aller à l'étranger ?

$\longrightarrow$

Je voudrais voyager, oui, mais je vais habiter en Irlande. J'aime bien l'Irlande, ma famille et mes copains sont là et c'est un très beau pays.

Vous n'êtes jamais allé en France ?

Si, quand on était en année de transition les profs de français ont organisé un voyage scolaire à Paris. C'était super.

Et c'est pour ça que vous avez choisi ce document, cette jolie photo de Paris ?

Oui, c'est ça.

Vous avez aimé Paris ?

Oui, beaucoup. Surtout l'architecture moderne, comme la Pyramide du Louvre et le centre Pompidou.

Qu'est-ce que vous avez vu d'autre ?

Euh . . . on a visité le Stade de France, le musée d'Orsay et la Tour Eiffel.

Vous étiez combien ?

On était une trentaine d'élèves, quinze filles, quinze garçons, accompagnés de cinq profs. Nous sommes restés dans un petit hôtel à vingt minutes du centre et un car nous emmenait au centre ville tous les matins.

Avez-vous aimé la cuisine française ?

Je ne sais pas si c'était typique, mais on a dîné deux fois dans un 'Flunch' et on n'a pas aimé ça ! On a préféré le McDo !

Vraiment ? C'est dommage, ça !

Oui, mais . . .

À part ça, vous avez fait un échange avec un Français ?

Non, jamais. On n'a pas beaucoup de place à la maison et ça ne m'intéresse pas trop.

Vous avez une chambre à vous, à la maison ?

Oui, j'ai de la chance parce qu'on a une maison à quatre chambres. Alors, j'ai ma chambre. J'ai un lecteur CD, mon bureau, ma guitare et beaucoup de posters de musique et de sport. C'est bien.

Et ça fait beaucoup de bruit, la guitare ?

Mes parents disent que c'est du bruit, mais moi, je dis que c'est de la musique ! J'ai eu des problèmes avec les voisins, mais maintenant ça va, je m'arrête de jouer à dix heures du soir.

Que pensez-vous de votre école ici à Athlone ?

C'est pas mal. Il y a 400 élèves, tous des garçons, les profs sont assez sympa . . . ça va . . .

Est-ce que le règlement est stricte ?

Pas trop. C'est le règlement normal : il faut porter un uniforme, respecter les profs, écouter en classe, des choses comme ça. Il ne faut pas fumer, manger dans les couloirs, surtout pas de chewing-gum, le directeur déteste ça ! On ne doit pas jeter de papiers, ni écrire de graffiti. L'alcool et la drogue sont strictement interdits.

Est-ce que les drogues sont disponibles ici à Athlone ?

Oui, bien sûr. C'est comme toutes les villes en Irlande, si on veut en acheter, on peut en trouver facilement. L'ecstasy, le cannabis, tout ce qu'on veut.

Que pensez-vous de ça ?

Moi, je ne prends jamais de drogues. C'est trop dangereux, et puis quand on voit des gens qui se droguent à l'héroïne à la télé, non, c'est horrible.

Et vous fumez des cigarettes ?

Oui, un peu. Beaucoup de jeunes fument. Quand on sort avec ses copains c'est difficile parce que tout le monde fume.

Mais c'est très cher de fumer, n'est-ce pas ? Que faites-vous pour l'argent ?

Mes parents me donnent de l'argent de poche chaque vendredi et puis, j'ai un petit boulot dans un hôtel à Athlone. Je travaille dans le bar le vendredi et le samedi soir. Je gagne 100 euros.

C'est pas mal ! Qu'est-ce que vous faites avec cet argent ?

Oh, c'est pour les sorties et j'achète des CD et des vêtements et j'essaie d'économiser un peu parce que toute la classe va partir en vacances après les examens.

Vous partirez ensemble ! Quelle bonne idée ! Où irez-vous ?

En Espagne. On va passer une semaine à la plage et dans les boîtes de nuit. Ce sera chouette !

Et vos parents sont d'accord ?

→

Euh . . . oui . . . au début ils hésitaient un peu, mais j'ai dix-huit ans et je ne suis pas bête ! C'est vrai que tous les garçons n'ont pas eu la permission d'y aller, mais quand même, nous serons une quarantaine à partir.

Et où resterez-vous ?

Dans un hôtel. On a déjà réservé une douzaine de chambres.

J'espère que ça ira très bien. Merci beaucoup, David.

Oui, merci beaucoup, madame.

H ÉPREUVE ORALE 2

Bonjour, Claire.

Bonjour, monsieur.

Signez ici, s'il vous plaît . . . Voilà . . . Asseyez-vous.

Merci.

Avez-vous un document ou un projet ?

Oui, voilà.

Ah! Les Simpson ! On en parlera dans cinq minutes, d'accord ?

D'accord.

Alors, Claire, quel âge avez-vous ?

J'ai dix-sept ans.

Et c'est quand, votre anniversaire ?

Le 25 octobre.

Et avez-vous des frères et des sœurs ?

Oui, j'ai deux frères et une sœur.

De quel âge ?

Ma sœur a treize ans, et mes frères ont seize et dix-neuf ans.

Et que fait votre frère aîné ?

Pardon ?

→

Que fait votre frère de dix-neuf ans ?

Il est étudiant.

Et votre sœur, elle va à cette école aussi ?

Oui, elle est en première année.

Vous habitez près de l'école ?

Oui, assez, j'habite à Sutton.

Comment venez-vous à l'école le matin ?

Quelquefois je viens en voiture avec ma mère, et quelquefois je viens à pied.

Et est-ce que vous rentrez chez vous pour déjeuner ?

Non, je déjeune ici.

Il y a une cantine à l'école ?

Pas exactement . . . Mais on peut acheter des sandwichs et des boissons.

Pas de repas chauds, alors ?

Non.

Et vous, vous achetez quelque chose ou vous apportez votre déjeuner avec vous ?

J'apporte un sandwich au jambon, des chips, une banane et un jus d'orange.

Parlez-moi un peu de la routine scolaire ici . . . Décrivez-moi une journée typique.

Eh bien, les cours commencent à 8h50, il y a la récré à 10h50, et le déjeuner est à 1h. Nous avons trois cours l'après-midi, de 2h à 4h.

Et vous avez sport après les cours ?

Oui. Je joue au basket trois jours par semaine, et quelquefois j'ai un match.

On peut faire d'autres sports, à part le basket ?

Oui, on peut faire du tennis, du hockey et du foot.

Vous êtes très sportive, vous ?

Non, pas vraiment.

Dites-moi, Claire, serez-vous contente de quitter l'école ?

Oui, très.

→

Pourquoi ?

Parce que je n'aime pas l'uniforme, et c'est un peu stricte.

Est-ce qu'il y a quelque chose qui va vous manquer ?

Oui, mes copines. J'aime voir mes copines tous les jours à l'école.

C'est vrai. C'est très différent après. Mais vous aurez d'autres copains et copines l'année prochaine, non ?

Oui, j'espère !

Qu'est-ce que vous voulez faire l'année prochaine ?

J'aimerais faire de l'hôtellerie.

Ah bon? Pourquoi est-ce que ça vous intéresse ?

Parce que j'ai travaillé dans un hôtel en Année de Transition, et j'ai aimé ça.

Quelle sorte de travail avez-vous fait dans l'hôtel ?

J'ai nettoyé les chambres, j'ai travaillé à la réception, et j'ai aidé le chef de cuisine.

Et qu'est-ce que vous avez aimé le plus ?

Travailler à la réception, je crois. J'aime parler au téléphone et rencontrer des gens.

Mais les clients viennent à la réception s'ils ont un problème, non ?

Oui, mais on peut les aider avec leurs problèmes.

C'est vrai. Et avez-vous fait d'autres choses intéressantes pendant votre Année de Transition ?

Oui, j'ai travaillé dans une pharmacie, j'ai fait de la poterie, et on allait à une maison de retraite tous les mercredi pour parler aux vieilles personnes.

Vous aimiez ça ?

Oui. Au début, je ne voulais pas y aller, mais après deux ou trois semaines, je connaissais les gens, et c'était intéressant.

Et les vieilles personnes aiment les jeunes en général, n'est-ce pas ?

Oui, ils aiment parler.

$\longrightarrow$

C'est ça. Alors, Claire, vous avez parlé de votre mère tout à l'heure. Quels sont ses passe-temps ?

Les passe-temps de ma mère ?

Oui.

Oh, . . . je ne sais pas . . . Elle aime jardiner et cuisiner, elle lit, elle adore décorer la maison . . .

Ah bon ? Elle le fait souvent ?

Oui, très souvent !

Elle va au cinéma ?

Oui, quelquefois.

Quelles sortes de films aime-t-elle ?

Je crois qu'elle aime les films comiques.

Et vous, allez-vous au cinéma ou préférez-vous regarder des films en DVD ?

Je préfère les DVD.

Avez-vous vu un bon film récemment ?

Oui, j'ai vu *Le Seigneur des Anneaux*.

Avez-vous un acteur préféré ?

Oui, j'adore Brad Pitt !

Ah bon! Et est-ce qu'il y a une actrice que vous aimez aussi ?

Je ne sais pas . . . Renée Zellweger, peut-être.

Est-ce que vous regardez beaucoup la télévision ?

Oui, j'adore ça.

C'est pas un problème cette année, avec les examens ?

Non, je regarde une heure par jour en semaine, et un peu plus le weekend.

Je vois que votre document, c'est une photo de la famille Simpson. Pourquoi avez-vous choisi cette photo ?

Parce que j'aime beaucoup cette émission. C'est très amusant.

Avez-vous un personnage préféré ?

Oui, j'aime Lisa, parce qu'elle est différente, elle est très intelligente et sensible.

→

On dit parfois que Bart Simpson a une mauvaise influence sur les enfants. Vous êtes d'accord ?

Peut-être, mais je crois que c'est une émission pour les adultes.

Et vous regardez les Simpson sur quelle chaîne de télé ?

Sur Sky l.

Et vos frères et sœurs, ils aiment les dessins animés aussi ?

Oui, beaucoup, mais ils préfèrent *South Park*.

C'est une émission américaine aussi ?

Oui.

Et quelles autres émissions regardez-vous à la télé ?

J'aime beaucoup *Will and Grace* – et des feuilletons comme *Neighbours*.

Est-ce que la télé cause des disputes chez vous ?

Oui, quelquefois mon père veut regarder les informations, et nous voulons regarder une autre émission. Ou bien mon frère, Daniel, regarde un film et papa et maman ne sont pas contents.

Pourquoi ?

Parce qu'il ne fait pas ses devoirs. Il est très paresseux.

Je vois. Et dites-moi, Claire, quand vous sortez le weekend, qu'est-ce que vous buvez ?

D'habitude, de la bière. Ça dépend. Quelquefois un jus de fruits.

Est-ce que vous pensez que les jeunes Irlandais boivent trop, en général ?

Euh . . . la plupart, non, mais certains jeunes ont un problème.

Est-ce que vos parents vous donnent de l'argent le weekend ?

Oui, quelquefois, mais je fais du babysitting aussi.

Pour qui ?

Pour mon oncle et ma tante et pour les voisins.

D'accord. Alors comme ça vous avez de l'argent pour sortir, c'est ça ?

Oui, d'habitude.

Et quand vous allez au bar le weekend, comment rentrez-vous après ?

→

Si je suis à Dublin, je prends un taxi avec des copines. Sinon, je rentre à pied.

Vous ne conduisez pas ?

Non.

Avez-vous un permis de conduire ?

Oui, provisoire. Mon père m'apprend à conduire.

Dans quelle sorte de voiture ?

Dans la voiture de ma mère – une Renault Clio.

Vous aimez, ça ?

Oui, j'adore conduire.

Et vous vous disputez en voiture ? Il se fâche, votre père ?

Non, non, il est très calme !

Tant mieux ! Et quand allez-vous passer le permis ?

Je ne sais pas encore. Il faut attendre sept ou huit mois, je crois. Je vais attendre l'été.

Après les examens !

Oui.

Avez-vous d'autres projets pour les grandes vacances ?

Oui. Je vais me reposer un peu, puis je vais travailler dans le bureau de mon père pour gagner de l'argent, et je vais passer une semaine chez mes cousins à Galway.

Vous allez souvent à Galway ?

Oui, assez. J'adore Galway. C'est génial pour les jeunes. Je vais chercher du travail dans un hôtel là-bas pour les vacances de Noël.

Bonne idée ! J'espère que vous trouverez quelque chose. Alors, voilà, Claire, c'est fini.

D'accord, monsieur, merci. Au revoir.